ENCICLOPEDIA DE LA COCINA

VEGETARIANA

Chantal Nicolas
PRESENTA

ENCICLOPEDIA DE LA COCINA VEGETARIANA

De Vecchi

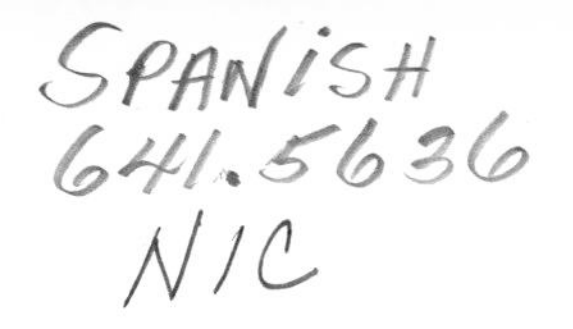

Traducción de Cristina Sala Carbonell.

Fotografías de la cubierta de © Stowell/StockFood/StudioX (imagen en primer plano) y © Thinkstock.

Fotografías del interior: p. 11, © Toanet/Fotolia; p. 13, © Kati Molin/Fotolia; p. 15, © svl1861/Fotolia; p. 19, © ksju/Fotolia; p. 22, © Andrzej Puchta/Fotolia; p. 25, © klikk/Fotolia; p. 26, © Theresa Martinez/ Fotolia; p. 30, © ApsisAbramis/Fotolia; p. 33, © Torsen Schon/Fotolia; p. 34, © Marco Mayer/Fotolia; p. 39, © IngridHS/Fotolia; p. 43, © FOOD-micro/Fotolia; p. 44, © Chris leachman/Fotolia; p. 47, © kentoh/Fotolia; p. 48, © FOOD-micro/Fotolia; p. 52, © dream79/Fotolia; p. 55, © FOOD-micro/Fotolia; p. 59, © Jean-Luc GIROLET/Fotolia; p. 61, © nool/Fotolia; p. 63, © Barbro Bergfeldt/Fotolia; p. 68, © matka_Wariatka/Fotolia; p. 71, © ampFotoStudio.com/Fotolia; p. 73, © Eva Gruendemann/Fotolia; p. 74, © Maksim Shebeko/Fotolia; p. 77, © Elenathewise/Fotolia; p. 78, © Yannick Vallée/Fotolia; p. 84, © Liv Friis-larsen/Fotolia; p. 87, © pink candy/Fotolia; p. 89, © ampFotoStudio.com/Fotolia; p. 98, © JJAVA/Fotolia; p. 104, © FOOD-micro/Fotolia; p. 110, © Casseb/Fotolia; p. 112, © FOOD-micro/ Fotolia; p. 115, © Jacques PALUT/Fotolia; p. 118, © JJAVA/Fotolia; p. 125, © StudioDER/Fotolia; p. 132, © FOOD-micro/Fotolia; p. 141, © margouillat photo/Fotolia; p. 149, © anne Feneau/Fotolia; p. 154, © Marc Roche/Fotolia; p. 165, © Yana/Fotolia; p. 170, © JJAVA/Fotolia; p. 175, © silver chopsticks/ Fotolia; p. 180, © HLPhoto/Fotolia; p. 184, © siesie/Fotolia; p. 191, © Comugnero Silvana/Fotolia; p. 198, © FOOD-micro/Fotolia; p. 217, © Web Buttons Inc/Fotolia; p. 238, © sil007/Fotolia; p. 243, © Mathias Lamamy/Fotolia; p. 269, © FOOD-micro/Fotolia; p. 271, © emmi/Fotolia; p. 276, © Shawn Hempel/ Fotolia; pp. 283, 300 y 303, © FOOD-micro/Fotolia; p. 306, © TanzDebil/Fotolia; p. 311, © Marta P. (Milacroft)/Fotolia.

Avda. Diagonal 519-521, 2.° - 08029 Barcelona
ISBN: 978-84-315-5062-2

Editorial De Vecchi, S. A. de C. V.
Nogal, 16 Col. Sta. María Ribera
06400 Delegación Cuauhtémoc
México

Índice

Introducción

Hace ya mucho tiempo que dejó de asociarse la cocina vegetariana a personas muy delgadas que se alimentan exclusivamente de hortalizas cocidas, un crepe salteado con aceite, un vaso de zumo de verduras, y ¡eso es todo, se acabó la comida! En resumen, un profundo aburrimiento.

Si el número de adeptos al vegetarianismo ha aumentado en los últimos años por el deseo intenso y comprensible de no querer consumir ni carne animal ni pescado, es también —en parte— gracias a la ayuda de los cocineros que han aceptado el desafío y han propuesto recetas muy creativas en las que utilizan algo más que un par de sosos y tristes ingredientes. La austeridad ha desaparecido definitivamente de los platos vegetarianos, que han sido asaltados por la imaginación y la alegría.

También se nos ha aclarado que podemos encontrar las proteínas y otros elementos nutritivos esenciales para nuestra salud y nuestro bienestar en productos como el tofu, las legumbres, los frutos secos, los lácteos... para compensar la ausencia de la carne y el pescado de nuestra dieta.

Para realizar esta obra, que no tiene ninguna pretensión de ser exhaustiva, hemos recorrido virtualmente el mundo y tomado de nuestros vecinos más lejanos —indios, japoneses, chinos, indonesios...— y próximos las mejores recetas con las frutas y verduras —incluso las más exóticas— que podemos encontrar en la actualidad en mercados, supermercados y tiendas especializadas.

Para que la lectura resulte fácil y estimulante, ya que hay más de 250 recetas, hemos ordenado la selección de acuerdo con el momento del día en que se sirve dicha receta (desayunos y *brunchs*) o el tipo de presentación (bebidas, panes y sopas). La sección «Platos» engloba aquellas recetas que tanto se pueden servir en comidas como en cenas; igual pasa con «Postres».

Al final de la obra encontrará un glosario con los ingredientes más exóticos.

El equipo editorial

DESAYUNOS

YOGUR CASERO

Tiempo de cocción:
7 min

Tiempo de reposo:
5 h

Para
6-8 personas

1 l de leche cruda o pasteurizada

fermento láctico (en la farmacia o en una tienda bio) o 1 yogur

Ponga a hervir la leche. Déjela enfriar hasta que alcance una temperatura entre los 38 y los 45 °C. Llegado este punto agregue un yogur o fermento láctico. Acomode el preparado bajo un paño o dentro de una cazuela. Transcurridas unas cinco horas, el yogur estará en su punto. Consérvelo en la nevera.

MUESLI ENERGÉTICO

TIEMPO DE REMOJO: 1 NOCHE

PARA 1 BOL

4 orejones de albaricoque

1 melocotón

1 plátano

20 g de almendras

300 ml de leche de arroz

2 cucharadas de azúcar moreno

30 g de copos de trigo sarraceno

30 g de copos de quinoa

La noche anterior, ponga en remojo los orejones.

Para la elaboración del muesli, pele el melocotón y córtelo en trozos. Pele el plátano y córtelo en rodajas. Escurra y filetee los albaricoques y las almendras. Complete el preparado con los cereales y la leche de arroz azucarada y mézclelo todo en un bol.

CONSEJO

Los copos de quinoa y de trigo sarraceno los encontrará en tiendas de dietética.

GRANOLA

Tiempo de cocción:
55 min

Para 4 personas

- 125 g de copos finos de avena
- 125 g de copos gruesos de avena
- 50 g de pipas de girasol
- 25 g de semillas de sésamo
- 50 g de avellanas tostadas
- 25 g de almendras picadas
- 3 cucharadas de aceite de girasol
- 3 cucharadas de miel líquida
- 50 g de uvas pasas
- 50 g de arándanos secos y azucarados

En primer lugar, caliente el horno a 140 °C.

Mezcle la avena, las semillas, las pipas, las almendras y las avellanas en un cuenco grande.

A continuación, caliente el aceite y la miel en una cacerola grande. Fuera ya del fuego, añada el contenido del cuenco, y mezcle con cuidado. Extienda la masa sobre una o dos bandejas.

Llévelas al horno y deje que se haga durante unos 50 minutos, hasta que el preparado esté crujiente, removiendo de vez en cuando para que no se pegue. Transcurrido este tiempo, retire del horno e incorpore las pasas y los arándanos. Deje enfriar y acomode en un recipiente de cierre hermético.

¿SABÍA QUE...?

La avena, además de su fibra sólida, que rebaja la tasa de colesterol de forma apreciable, aporta también vitaminas B y E, y hierro.

GACHAS DE TRIGO

TIEMPO DE COCCIÓN:
10 MIN

INGREDIENTES

trigo de cultivo biológico

sal

Triture el trigo y cueza la harina obtenida con un poco de agua para conseguir una masa parecida a las gachas. Sazone, y añada mantequilla o nata, según su gusto, miel, frutos secos o fruta fresca cortada en trocitos. De esta forma, habrá preparado un muesli casero, económico y de un gran valor nutritivo, rico en vitaminas y en sales minerales.

La miel potencia el sabor y aporta azúcar —fructosa y glucosa— de rápida asimilación, que permite recuperar las fuerzas y poner la máquina en marcha tras el ayuno nocturno, mientras que el almidón, de asimilación lenta, evita la sensación de hambre. Para finalizar la preparación, se puede añadir leche, sobre todo para los niños.

VARIANTE

Este energético desayuno puede elaborarlo también con copos de avena: hierva 250 ml de agua; vierta los copos en forma de lluvia con una cuchara de madera; deje que se hinchen durante unos diez minutos. Sirva con nata líquida, miel, mermelada, frutos secos y manzanas finamente cortadas o ralladas.

GACHAS CON FRUTOS SECOS Y SÉSAMO

Tiempo de cocción:
5-6 min

Para 2 personas

50 g de copos de avena

500 ml de leche desnatada

75 g de frutos secos picados

2 cucharadas de semillas de sésamo tostadas

En una sartén a fuego vivo, tueste las semillas de sésamo y remuévalas constantemente. Cuando hayan adquirido un color tostado claro, retírelas y deje que se enfríen.

Acomode los copos de avena, la leche y los frutos secos en una cacerola antiadherente. A continuación, lleve a ebullición el conjunto, reduzca la llama y deje cocer 3 minutos removiéndolo de vez en cuando, hasta que se espese.

Sirva en copas individuales espolvoreadas con semillas de sésamo.

CUSCÚS DULCE

Tiempo de cocción: 5 min

Tiempo de remojo: 30 min

Para 4 personas

100 g de sémola de grano fino

50 g de uvas pasas

50 g de orejones de albaricoque

2 naranjas

1 cucharadita de canela

2 cucharadas de miel de azahar

1 bol de té a la menta

50 g de dátiles deshuesados

Ponga en remojo los orejones y las pasas en el té a la menta tibio durante 30 minutos.

Mientras, exprima las naranjas. Vierta el zumo en una cacerola junto con la canela y la miel. Caliéntelo todo a fuego suave removiendo hasta la obtención de una mezcla homogénea.

Vierta este zumo sobre la sémola y trabájela a mano para que se airee. Deje que se hinche durante 1 hora mientras sigue trabajándola para que no se apelmace.

Escurra los frutos secos, corte los orejones y los dátiles en trozos pequeños y mézclelos con la sémola.

MINIBRIOCHES DE CHOCOLATE

Tiempo de cocción: 30 min
Tiempo de fermentación: 15 min + 2 x 2 h

Para 6 personas

- 180 g de harina
- 50 g de azúcar glas
- 1/2 sobre de levadura de pan
- 50 g de mantequilla
- 1 huevo + 1 yema
- 50 g de chocolate negro
- 50 ml de leche
- sal

Ponga la levadura en remojo durante 15 minutos en 50 ml de agua tibia. Caliente la leche.

En un cuenco grande, mezcle la mantequilla reblandecida y la harina, el azúcar y una pizca de sal. Vierta la leche, añada el huevo entero y la levadura. Amase el conjunto durante 15 minutos. Transcurrido este tiempo, cubra la ensaladera con un paño limpio y deje que fermente durante 2 horas en un lugar templado.

A continuación, corte el chocolate en trozos e incorpórelo a la masa. Forme seis pequeñas bolas y acomódelas en un molde de brioche. Ponga el molde en el mismo lugar, protegido de las corrientes de aire, y deje que fermente durante 2 horas.

Caliente el horno a 200 °C. Pinte los brioches con la yema de huevo batida. Lleve al horno y deje que se haga durante 25-30 minutos. Finalmente, hunda la hoja de un cuchillo en uno de los brioches; si sale seca, están listos.

ENSALADA DE FRUTA DE INVIERNO

TIEMPO DE MACERACIÓN: 1 H

PARA 4 PERSONAS

1 piña
1 kiwi
2 plátanos
2 peras
6 clementinas
1 cucharadita de canela

Pele las frutas, corte la piña en dados, los kiwis y los plátanos en rodajas y las peras en trozos. Separe los gajos de las clementinas.

A continuación, acomode la fruta en una ensaladera, añada la canela y mezcle. Deje macerar durante 1 hora en el frigorífico.

CONSEJO

¡No hace falta añadir azúcar! Utilice siempre fruta de temporada.

PAIN PERDU

Tiempo de cocción:
45 min

Ingredientes

pan duro cortado en rebanadas

3 huevos

3 cucharadas de azúcar o miel fundida

1 l de leche

azúcar moreno (para servir)

aceite

mantequilla

mermelada, compota o jalea de frutas (optativo)

Remoje algunas rebanadas de pan en leche azucarada, y después en huevo batido. En una sartén con aceite y mantequilla, vaya dorando el pan. Cuando todavía esté caliente, espolvoree el azúcar moreno por encima. Repita la operación hasta que se agoten las rebanadas, y sírvalas solas o con mermelada de frutas de temporada.

PASTELITOS DE ARÁNDANOS

TIEMPO DE COCCIÓN:
45 MIN

INGREDIENTES

200 g de harina

200 g de arándanos

3 huevos

200 g de mantequilla

50 g de azúcar

1 limón no tratado

1/2 sobre de levadura

1 pizca de sal

En primer lugar, caliente el horno a 220 °C.

A continuación, corte la mantequilla ablandada, acomódela en un bol grande y trabájela hasta conseguir una crema. Añada el azúcar y continúe trabajando. Después, agregue los huevos de uno en uno, la harina, la sal y la levadura. Siga amasando el conjunto hasta obtener una masa lisa.

Ralle la piel del limón e incorpórela al preparado junto con los arándanos. Viértalo en moldes individuales o en uno de pastel.

Deje que se haga en el horno durante 10 minutos a 220 °C, después reduzca la temperatura hasta llegar a los 180 °C y prosiga la cocción durante 25 minutos.

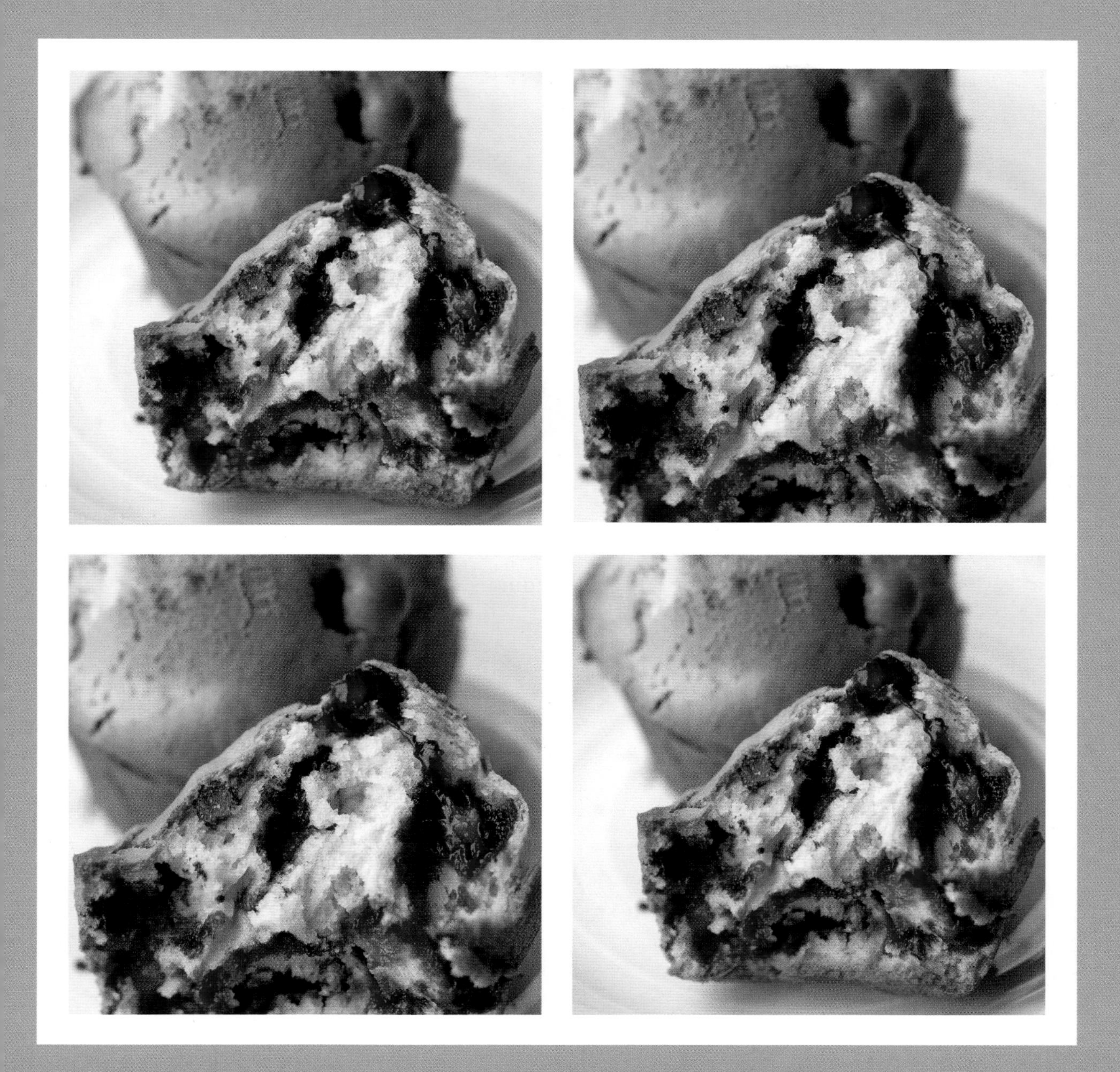

MOUSSE DE QUESO FRESCO Y LAVANDA

TIEMPO DE REFRIGERACIÓN: DE 30 MIN A 1 H

INGREDIENTES

200 g de queso fresco

200 ml de nata líquida

1 cucharada de lavanda

50 g de azúcar glas

Ponga a enfriar la nata líquida en el lugar más frío de la nevera.

Mientras, mezcle la lavanda, el azúcar y el queso. Deje que se combinen los aromas entre 30 minutos y 1 hora en un lugar fresco.

A continuación, vierta la nata líquida en un cuenco grande y móntela con la batidora eléctrica hasta conseguir una *mousse*.

Incorpore el queso con delicadeza y reparta el preparado en boles individuales. Sirva fría.

BRUNCHS

TOSTADAS CON QUESO FRESCO

PARA 4 PERSONAS

4 rebanadas de pan de hogaza

200 g de queso fresco o de requesón

20 tallos de cebollino

4 ramitas de albahaca

1 chalota

1 cucharadita de semillas de cilantro

2 cucharadas de aceite de oliva

sal

pimienta

En primer lugar, lave las finas hierbas, séquelas y filetéelas. Pele y pique la chalota.

Mezcle en un bol el queso fresco, las finas hierbas, la chalota, la sal y la pimienta recién molida.

Maje en el mortero las semillas de cilantro o muélalas en el molinillo eléctrico.

Para finalizar, extienda el queso sobre las rebanadas. Riéguelas con aceite de oliva y espolvoree el cilantro molido por encima.

GUACAMOLE

Para 4 personas

4 aguacates maduros

1 tomate pequeño

1 cebolla pequeña

1 chile fresco no demasiado picante

5 g de cilantro fresco (o perejil)

zumo de 1/2 limón

sal

pimienta

Pele los aguacates y córtelos por la mitad; extraiga el hueso y corte la pulpa en trozos pequeños, regándolos con el zumo de limón para que no se ennegrezcan.

A continuación, lave y corte el tomate en dados pequeños. Pele, lave y pique fina la cebolla.

Corte el chile por la mitad en sentido longitudinal y extraiga las semillas; píquelo menudo.

Lave el cilantro, séquelo y píquelo.

Por último, coloque los trozos de aguacate en un cuenco, aplástelos con un tenedor y salpimiéntelos. Agregue el cilantro, la cebolla, el pimiento y el tomate, y remueva cuidadosamente la preparación.

CONSEJO

Acompañe el guacamole con pequeñas rebanadas de pan tostado.

HUMUS

Para 6 personas

550 g de garbanzos cocidos

100 g de tajín

2 cucharaditas de ajo picado

1 limón

4 cucharadas de aceite de oliva

alfalfa germinada (para servir)

sal

pimienta

Reserve 20 garbanzos para la decoración. Frote el resto entre las manos para quitar las pieles.

A continuación, coloque los garbanzos en el bol del robot de cocina. Tritúrelos junto con el tajín, el ajo picado, 150 ml de agua fría, sal, pimienta, el aceite y zumo del limón, hasta obtener una pasta densa y homogénea.

Para servir, distribuya sobre el *humus* los garbanzos reservados y decore todo con los brotes de alfalfa.

SOPA DE PEPINO CON MENTA Y YOGUR

PREPARAR EL DÍA ANTERIOR

PARA 4 PERSONAS

1 pepino

1 limón

6 ramitas de menta fresca

2 yogures batidos

2 cucharadas de aceite de oliva

sal

pimienta

En primer lugar, pele el pepino, córtelo en cuatro trozos en sentido longitudinal y quite las semillas. Exprima el limón. Lave y seque la menta. Separe las hojas.

Coloque todos los ingredientes en el vaso mezclador y tritúrelos.

Distribuya la sopa en cuatro cuencos y déjelos en el frigorífico hasta el día siguiente.

VARIANTE

Añada un diente de ajo rosado pelado o una cucharadita de curri en el momento de triturar.

VERDURAS REBOZADAS

TIEMPO DE COCCIÓN:
6 MIN

PARA 4 PERSONAS

150 g de zanahorias cortadas en bastoncitos

1 cebolla grande cortada en rodajas de 1 cm de grueso

150 g de calabacines cortados en bastoncitos

harina

PARA EL REBOZADO

1 l de aceite

100 g de harina

160 ml de agua muy fría

1 yema de huevo

En primer lugar, prepare la pasta para rebozar: coloque la yema en un bol y agregue el agua. Bata la mezcla. Incorpore la harina poco a poco, sin remover demasiado.

Caliente el aceite en un *wok*, mezcle las hortalizas, páselas por harina, sacúdalas para eliminar el exceso y sumérjalas en la pasta para rebozar.

Cuando el aceite esté caliente, introduzca en él las hortalizas ligeramente escurridas. Fríalas durante 3 minutos. Después de sacar las verduras del *wok*, depositélas sobre papel absorbente para eliminar el exceso de grasa. Sírvalas calientes.

PARA 4 PERSONAS

250 g de caldo *nibandashi*

40 g de salsa de soja

40 g de *mirin*

20 g de azúcar

VARIANTE

Estas verduras resultan deliciosas acompañadas de una salsa *tentsuyu*.

Coloque todos los ingredientes en un cazo y llévelo a ebullición, prosiga la cocción a fuego suave durante 30 o 40 minutos. Sírvala caliente o templada.

RAITA DE PEPINO

TIEMPO DE COCCIÓN:
5 MIN

PARA 4 PERSONAS

400 g de pepino

1 pizca de *garam masala*

10 g de *ghee*

2 patatas cocidas

500 ml de *dahi*

1 pizca de pimentón picante

3 g de eneldo fresco

12 hojas de menta (para decorar)

Tueste ligeramente el *garam masala* sobre una plancha untada con *ghee*.

Corte las patatas en dados.

Pele y corte el pepino en láminas finas.

Bata el *dahi* durante algunos minutos y añada después los demás ingredientes.

Sirva frío, decorado con hojas de menta.

ROLLITOS DE PRIMAVERA VEGETARIANOS

TIEMPO DE COCCIÓN: 15 MIN + EL TIEMPO DE LA FRITURA

PARA 4 PERSONAS

4 hojas de arroz
4 cebolletas
1 zanahoria
1 tallo de apio
1 calabacín
40 g de fideos de soja
algunos brotes de soja
jengibre
salsa de soja
20 g de hierbas majadas, como albahaca tailandesa, cebollino...
40 ml de aceite de oliva virgen extra
aceite de cacahuete
sal

Pele, lave y corte en juliana las hortalizas y, a continuación, blanquéelas en agua salada hirviendo. Escurra y deje enfriar.

En una olla grande lleve a ebullición abundante agua salada; sumerja los fideos, apague inmediatamente el fuego y deje los fideos en el agua durante 2 minutos. Escúrralos y lávelos bajo el chorro de agua fría.

Mezcle los fideos con las hortalizas, aliñe con salsa de soja, aceite de oliva, brotes de soja, sal, las hierbas aromáticas majadas y el jengibre.

Divida cada hoja de arroz en tres partes y coloque una porción del relleno en cada una, cerrándolas bien a continuación, de manera que obtenga 12 rollitos. Fríalos en aceite de cacahuete bien caliente durante algunos minutos, hasta que queden dorados y crujientes. Rectifique la sal y sirva.

CREPES DE ARROZ CON LENTEJAS

Tiempo de remojo:
4 h (lentejas),
30 min (arroz)

Tiempo de reposo:
30 min

Tiempo de cocción:
20 min

Para 4 personas

200 g de lentejas

50 g de arroz basmati

15 g de levadura en polvo

pimentón dulce

aceite o *ghee*

Ponga en remojo por separado las lentejas (4 horas mínimo) y el arroz (30 minutos). A continuación, triture estos ingredientes en la batidora hasta obtener una pasta homogénea.

Después, incorpore la levadura y una pizca de pimentón dulce, y deje reposar durante 30 minutos.

Unte una sartén pequeña con un poco de aceite o *ghee*, y fría el preparado vertiéndolo a cucharadas.

Dé la vuelta a las crepes en cuanto hayan cuajado, retírelas de la sartén y acomódelas sobre papel absorbente.

Finalmente, enróllelas hasta formar un cilindro con la ayuda del mango de una cuchara de madera.

ALIÑO DE HORTALIZAS ASADAS

Tiempo de cocción:
20 min
Tiempo de maceración:
2 o 3 h

Para 4 personas

2 pimientos rojos

1 berenjena

2 calabacines

4 tomates maduros

6 g de cilantro fresco

6 g de perejil

100 ml de aceite de oliva virgen extra

1 guindilla

1 diente de ajo

rebanadas de pan tostado (para servir)

sal

Lave las hortalizas y las hierbas.

A continuación, ase los pimientos en el horno durante 15 minutos a 250 °C. Acomódelos en una bandeja y cúbralos. Cuando estén fríos, quite la piel, las pepitas y las nervaduras blancas. Después, córtelos en tiras.

Corte la berenjena, los calabacines y los tomates en rodajas. Sazone y deje que eliminen el agua de vegetación durante 1 hora. Transcurrido este tiempo, enjuague las hortalizas y áselas a fuego vivo.

A continuación, acomode la verdura en capas alternas en un cuenco.

Elabore una vinagreta mezclando el aceite de oliva, la sal, la guindilla finamente picada, el ajo y las finas hierbas. Viértala sobre el cuenco y deje marinar durante 2 o 3 horas.

Finalmente, sirva este aliño junto con el pan tostado.

TEMPURA DE HORTALIZAS

Tiempo de cocción:
20 min

Para 4 personas

1 calabacín

1 zanahoria

4 champiñones

100 g de calabaza

1 berenjena

harina

Para la tempura

200 g de harina de arroz o de trigo

200 ml de agua muy fría

1 yema de huevo

aceite de cacahuete

En primer lugar, lave y pele las hortalizas; corte el calabacín, la zanahoria, la calabaza y la berenjena en bastoncillos; deje los champiñones enteros.

Bata la yema de huevo y el agua fría en un bol, incorpore la harina y remueva durante unos segundos sin preocuparse por la formación de grumos.

A continuación, caliente el aceite, pase las verduras por harina y rebócelas con la tempura. Fríalas en el aceite caliente el tiempo justo para que se doren. Escúrralas y acomódelas sobre papel absorbente para eliminar el exceso de grasa.

Para 4 personas

250 g de caldo *nibandashi*

40 g de salsa de soja

40 g de *mirin*

20 g de azúcar

VARIANTE

Sirva con una salsa *tentsuyu*.

Acomode todos los ingredientes en una cazuela y lleve a ebullición, reduzca la llama y deje cocer durante 30 o 40 minutos. Sirva templada o caliente.

AROS DE CEBOLLA FRITOS

Tiempo de reposo:
30 min
Tiempo de cocción:
20 min

Para 4 personas

2 cebollas grandes (rojas o blancas)
150 g de harina para repostería
1 guindilla
3 g de especias (comino, cilantro, laurel)
120 ml de cerveza fría
aceite de cacahuete
sal

Pele las cebollas y córtelas en aros de 1 cm con la ayuda de una mandolina. Lávelos bajo el chorro de agua y séquelos.

A continuación, mezcle la harina con la guindilla picada, las especias y la sal. Vierta la cerveza en varias veces, mientras remueve delicadamente con un tenedor. Deje reposar la masa, que debe ser muy ligera, durante 30 minutos.

Sumerja los aros de cebolla en la pasta de rebozar, escurra con cuidado y fríalos poco a poco en aceite caliente. Una vez dorados, acomódelos sobre papel absorbente.

Sazone ligeramente en el momento de servir para que la cebolla se mantenga crujiente.

CONSEJO

Sirva con una salsa picante y nachos.

HOJALDRE DE QUESO DE CABRA Y MANZANA

TIEMPO DE COCCIÓN:
30 MIN

PARA 2 PERSONAS

1 lámina de masa de hojaldre

2 quesos de cabra de 60 g cada uno

1 yema de huevo

2 manzanas

Extienda la lámina de hojaldre y déjela a temperatura ambiente durante 30 minutos. Caliente el horno a 180 °C durante 15 minutos. Mientras, corte el hojaldre en dos partes iguales.

A continuación, pele las manzanas, extraiga el corazón y córtelas en dados. Dispóngalos sobre las dos mitades del hojaldre.

Corte los quesos por la mitad. Coloque dos mitades sobre las manzanas de cada pieza de hojaldre y forme dos rollos.

Con la ayuda de un pincel, pinte la pasta con la yema de huevo batida para que se dore al hacerse. Lleve al horno y hornee durante 30 minutos.

Cuando los hojaldres estén hechos, retírelos del horno. Acomódelos sobre los platos de servir y degústelos antes de que se enfríen.

TARTA DE PISTO

Tiempo de cocción:
70 min

Para 6 personas

3 huevos

150 g de harina

1 sobre de levadura

80 ml de aceite de oliva + 2 cucharadas

125 ml de leche

100 g de queso de gruyer rallado

1 tomate

1/2 cebolla

1/2 berenjena

1/2 calabacín

3 hojas de albahaca

1 ramillete de perifollo

2 pizcas de sal

2 pizcas de pimienta

Caliente el horno a 180 °C.

Mientras, pele y corte las hortalizas.

En una sartén grande, vierta dos cucharadas de aceite de oliva y rehogue la cebolla, después añada el tomate, la berenjena y el calabacín. Salpimiente todo. Haga a fuego lento durante 20 minutos y, transcurrido este tiempo, espolvoree con el perifollo y la albahaca picados, y deje que se enfríe.

Caliente la leche.

En una ensaladera, bata los huevos con el queso rallado e incorpore la harina y la levadura. Agregue con cuidado el resto del aceite y la leche caliente. Salpimiente.

Finalmente, añada las hortalizas y mézclelo todo. Viértalo en un molde para pasteles y hágalo en el horno durante 45 minutos.

VARIANTE PARA COCINEROS CON PRISAS

Sustituya las hortalizas frescas por una lata de guisantes y zanahorias, y añada un buen pellizco de semillas de comino.

PATÉ VEGETAL

Tiempo de cocción:
45 min

Para 4 personas

100 g de pan duro

50 g de grasa vegetal

4 cebollas o chalotas grandes

75 g de levadura de cerveza

tomillo

laurel

750 ml de agua templada

1 pizca de sal marina

Remoje el pan con el agua. Pele y corte las cebollas en trozos y póngalas a rehogar en la grasa vegetal durante 30 minutos a fuego suave. A continuación, añada el pan escurrido y deje en el fuego durante 15 minutos, sin dejar de remover. Añada el tomillo y el laurel. Finalmente, retire del fuego, incorpore la levadura, sazone y triture con la batidora eléctrica.

CONSEJO

Pueden añadirse trocitos de trufa para aromatizar.

HAMBURGUESA VEGETARIANA

Tiempo de cocción: 45 min

Para 4 personas

- 1 cucharada de aceite de girasol
- 1 cebolla finamente picada
- 1 diente de ajo picado
- 1 cucharadita de cilantro en polvo
- 1 cucharadita de comino en polvo
- 115 g de champiñones picados
- 425 g de alubias rojas cocidas, enjuagadas y escurridas
- 2 cucharadas de perejil fresco picado
- harina (para espolvorear)
- panecillos para hamburguesas
- lechuga (para servir)
- sal
- pimienta

Caliente el aceite en una sartén al fuego. Añada la cebolla y rehóguela durante 5 minutos removiendo a menudo, hasta que esté tierna. A continuación, añada el ajo, el cilantro y el comino. Prosiga durante 1 minuto. Agregue los champiñones y deje que se hagan unos 4 o 5 minutos removiendo, hasta que se evapore el agua de vegetación. Transcurrido este tiempo, páselos a una ensaladera.

Reduzca las alubias a puré con la ayuda de un tenedor, e incorpórelas al preparado anterior. Añada el perejil y salpimiente.

Divida el preparado en cuatro porciones, enharine y forme cuatro hamburguesas. Úntelas con aceite y áselas a la parrilla durante 4 o 5 minutos por cada lado.

Finalmente, acomódelas en los panecillos y sírvalas acompañadas con lechuga.

PASTELITOS DE HIERBAS AROMÁTICAS

Tiempo de cocción:
45 min

Para 6 personas

1 manojo de cebollino

1 ramillete de perejil

8 tallos de cilantro

4 tallos de menta

4 huevos

100 g de queso emmental rallado

250 g de harina

1 yogur natural

1 cucharadita de azúcar

1 cucharadita de pimienta molida

1/2 cucharadita de sal

100 ml de aceite de oliva

Caliente el horno a 150 °C.

Lave y pique las hierbas y mézclelas.

A continuación, bata los huevos junto con el azúcar, la sal y la pimienta.

Agregue el aceite y el yogur batiendo siempre; después, la harina, la mitad del queso y las hierbas picadas.

Vierta el preparado en moldes pequeños para tartas. Espolvoree el resto del emmental por encima.

Lleve al horno y deje que se hagan durante 45 minutos.

SAMBAR DE BERENJENAS

TIEMPO DE REMOJO:
1 NOCHE

TIEMPO DE COCCIÓN:
45 MIN

PARA 4 PERSONAS

2 berenjenas

300 g de lentejas rojas

60 g de *ghee*

10 granos de mostaza negra

1 pizca de *garam masala*

1 cm de jengibre fresco

1 pizca de cúrcuma

1 pizca de pimentón picante

20 g de coco deshidratado

2 tomates maduros

1 pimiento verde + 1 o 2 para decorar

zumo de 1 limón

sal

Ponga las lentejas en remojo durante una noche.

Para cocinarlas, llévelas a ebullición con agua abundante hasta que estén tiernas.

Caliente el *ghee* en un *wok* y rehogue los granos de mostaza, el *garam masala*, el jengibre rallado y las especias en polvo.

Al cabo de 5 minutos, añada el coco, las berenjenas, los tomates y el pimiento cortados en trozos pequeños.

Agregue las lentejas, sazone y prosiga en el fuego durante 10 minutos.

Sirva caliente, rociado con el zumo de limón y decorado con los pimientos verdes cortados en tiras.

CONSEJO

Este plato, muy popular en la India y servido a menudo como aperitivo, es ideal para un *brunch*.

HOJAS DE PARRA RELLENAS DE ESTAMBUL

Tiempo de cocción: 55 min
Tiempo de refrigeración: 30 min

Para 4 personas

- 500 g de cebolla
- 100 g de arroz
- 100 ml de aceite de oliva
- 5 g de menta seca
- 2 tallos de menta fresca
- 1/2 ramillete de eneldo
- 1/2 ramillete de perejil
- 1/2 cucharadita de azúcar
- 250 g de hojas de parra en conserva
- 1 limón
- 1 cucharadita de pimienta
- 1/2 cucharadita de sal

Pele las cebollas y píquelas. Dórelas en una cacerola con aceite caliente. Añada el arroz y remueva con una cuchara de palo.

Cuando el arroz empiece a transparentarse, añada el azúcar, la sal y la pimienta.

Agregue a continuación tres cuartas partes del perejil y del eneldo picados, y la menta seca. Riegue con 100 ml de agua. Tape y deje cocer durante 10 minutos a fuego suave removiendo de vez en cuando. Aparte del fuego y deje enfriar.

A continuación, extienda una hoja de parra sobre la superficie de trabajo, con las nervaduras hacia arriba, y acomode en el centro una cucharada del compuesto de hierbas. Doble los bordes de la hoja hacia el interior y enróllela como si se tratara de un cigarrillo. Repita la secuencia hasta agotar el relleno.

A medida que vaya formando los rollitos, disponga las hojas rellenas en círculos concéntricos sobre un lecho de perejil, eneldo, menta fresca, cuatro o cinco rodajas de limón y las hojas de parra más estropeadas. Agregue agua hasta cubrirlas, un poco de zumo de limón y un poco de aceite de oliva. Tape la cacerola y deje cocer durante 30 minutos. Sírvalas frías.

CONSEJO

Antes de utilizar el arroz, lávelo cuidadosamente con agua fría. Aromatícelo con menta seca, puesto que la fresca daría demasiada acidez al preparado. Si no encuentra hojas de parra, puede realizar el plato con hojas de acelga.

HOJAS DE PARRA RELLENAS DE ESTAMBUL [VARIANTE]

TIEMPO DE COCCIÓN: 30 MIN

PARA 4 PERSONAS

4 hojas de parra no tratadas
100 g de arroz blanco cocido
1 cebolla grande
1 cucharada de coco rallado (optativo)
2 cucharadas de aceite de oliva
salsa de tomate
laurel
tomillo
ajedrea
ajo
aceitunas deshuesadas
sal

UNA VERSIÓN REDUCIDA, PARA COMER CALIENTE

Mezcle el arroz, la cebolla picada y el coco, y sazone ligeramente. Lave bien las hojas de parra y rellene cada una de ellas con la mezcla anterior. Ciérrelas de acuerdo con las instrucciones de la receta precedente y acomódelas en una cacerola con dos cucharadas de aceite de oliva. Deje que se hagan a fuego suave durante 30 minutos. A media cocción, dé la vuelta a las hojas.

Sirva acompañadas con una salsa de tomate aromatizado (laurel, tomillo, ajedrea), dientes de ajo cocidos y aceitunas deshuesadas.

KEDGEREE VEGETARIANO

TIEMPO DE COCCIÓN:
55 MIN

PARA 4 PERSONAS

- 50 g de lentejas coral enjuagadas
- 225 g de arroz basmati enjuagado
- 1 hoja de laurel
- 4 clavos de olor
- 50 g de mantequilla
- 1 cucharadita de curri en polvo
- 1/2 cucharadita de pimentón dulce
- 2 cucharadas de perejil picado
- 4 huevos duros cortados en cuartos (para servir; optativo)
- sal
- pimienta

Acomode las lentejas en una cacerola con la hoja de laurel. Cubra con agua fría, lleve a ebullición, espume con regularidad y después reduzca la llama. Tape la cacerola y cueza a fuego lento entre 25 y 30 minutos, hasta que las lentejas estén tiernas. Transcurrido este tiempo, escúrralas y retire la hoja de laurel.

Mientras las lentejas se cuecen, lleve a ebullición 500 ml de agua y vierta el arroz. Añada los clavos de olor y un buen pellizco de sal. Tape y cueza entre 10 y 15 minutos, hasta que el arroz haya absorbido el agua por completo. Retire los clavos.

En una sartén al fuego, caliente la mantequilla. Añada el curri y el pimentón, y rehogue durante 1 minuto.

Agregue las lentejas y el arroz para que se impregnen de la mantequilla especiada. Salpimiente y deje en el fuego de 1 a 2 minutos, hasta que la mezcla esté bien caliente. Añada el perejil y sirva. Si lo desea, puede completar el plato con los huevos duros.

TZATZIKI

Tiempo de purga:
1 h

Para 4 personas

1 pepino

1/2 pimiento rojo

2 dientes de ajo

3 yogures de leche de oveja

150 ml de aceite de oliva

1 cucharada de vinagre

1 tallito de eneldo

sal

Pele el pepino. Córtelo por la mitad en sentido longitudinal, sazónelo con abundante sal y déjelo que elimine su agua de vegetación durante 1 hora. Transcurrido este tiempo, enjuáguelo, séquelo y rállelo.

En una ensaladera, mezcle los yogures con el aceite y el vinagre, el ajo aplastado y sal.

Añada el pepino rallado. Puede decorar el plato con aros de pimiento y trocitos de eneldo. Sirva muy fresco.

FALAFEL CON SÉSAMO

TIEMPO DE REFRIGERACIÓN: 2 H
TIEMPO DE COCCIÓN:
2,5 MIN POR BOLITA

PARA 4 PERSONAS

450 g de judías verdes de lata, escurridas

350 g de garbanzos de lata, escurridos

1 cebolla

2 dientes de ajo

1 guindilla fresca, despepitada y picada

1 cucharada de levadura química

30 g de perejil

1 pizca de pimienta de Cayena

2 cucharadas de agua

aceite para freír

pan de pita, salsa de yogur y cuartos de limón (para servir)

sal

pimienta

PARA LA SALSA DE SÉSAMO

200 ml de tajín

1 diente de ajo

2 o 3 cucharaditas de zumo de limón

1 o 2 cucharadas de agua

Para preparar la salsa: ponga el tajín y el ajo picado en un bol, incorpore con cuidado el agua hasta obtener la consistencia deseada y añada el zumo de limón. Cubra el bol con plástico transparente para uso alimentario y refrigere en la nevera.

Para preparar las bolitas de *falafel*: enjuague las judías y los garbanzos. En el recipiente del robot de cocina, acomode las judías, los garbanzos, la cebolla, el ajo, la guindilla y el perejil picados, la levadura y la pimienta de Cayena. Triture hasta obtener una pasta densa. Añada el agua, salpimiente y triture de nuevo.

En un *wok*, caliente el aceite a fuego vivo. Forme bolitas con la masa anterior y fríalas durante 2 o 2,5 minutos hasta que queden doradas. Escúrralas sobre papel absorbente y repita esta operación hasta que se agote el preparado. Puede servir el *falafel* caliente o frío, acompañado con salsa de sésamo, pan de pita, salsa de yogur y un limón cortado en cuartos.

CREPES DE CENTENO

Tiempo de reposo:
1 h

Para 10 crepes

200 g de harina de centeno

2 huevos

200 ml de leche

2 cucharadas de aceite

nuez moscada

perejil

cebollino

sal

En un recipiente adecuado, mezcle la harina, los huevos, la leche, el aceite, la nuez moscada en polvo, y el perejil y el cebollino picados. Sazone y remueva bien.
Deje reposar esta masa durante 1 hora y, después, proceda de la misma manera en que se hacen las crepes normales.

CONSEJO

Puede servirlas con un poco de salsa de tomate aromatizada con tomillo y laurel.

BEBIDAS

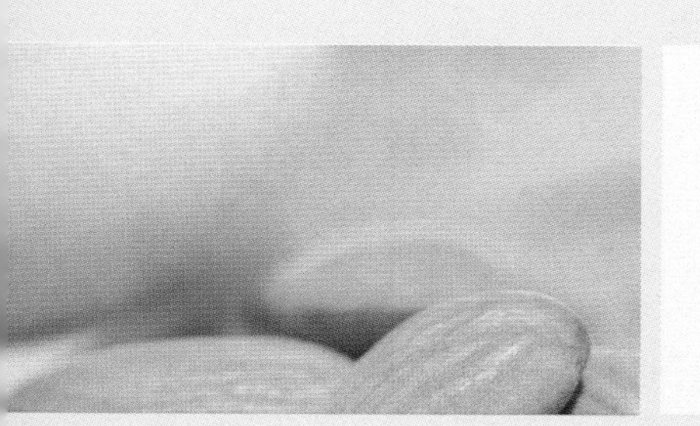

ZUMO DE ZANAHORIAS Y JENGIBRE

PARA 500 ML

2 manzanas jugosas

4 zanahorias

2 cm de jengibre fresco

1 lima

Pele las manzanas, las zanahorias y el jengibre, y tritúrelos con la batidora eléctrica.

Con la ayuda de un tamiz fino cuele la pulpa.

Exprima la lima y fíltrela.

Finalmente, añada al primer zumo 200 ml de agua y el zumo de la lima. Sirva fresco.

CÓCTEL DE MANZANAS Y PEPINO

PARA 4 VASOS GRANDES

1 pepino
4 tallos de apio
2 manzanas verdes
zumo de 1/2 limón
tabasco

Pele el pepino. Enjuague el apio. Lave las manzanas y extraiga las semillas.

A continuación, corte la fruta y la verdura en trozos grandes y páselos por la licuadora junto con el zumo de limón.

No incorpore sal; si lo desea, realce el sabor con unas gotas de tabasco. Sirva en cuanto esté listo para aprovechar bien las vitaminas.

LASSI

PARA 2 L

1 l de *dahi*

40 ml de zumo de limón

1 g de semillas de comino tostadas y machacadas

10 g de sal

10 cubitos de hielo

hojitas de menta (para servir)

Bata todos los ingredientes, a excepción de la menta, con 700 ml de agua, hasta que obtenga una bebida espumosa. Sírvala fría en vasos grandes. Puede decorarla con hojitas de menta.

CONSEJO

En vez de *dahi* puede utilizar yogur.

También puede añadir un kiwi o algunos trozos de mango para tomar esta bebida como merienda.

TÉ ESPECIADO

Tiempo de infusión: 10 min

Para 1 l

8 clavos de olor

1 g de semillas de cardamomo

1 palo de canela de 2 cm

20 g de hojas de té negro

4 estrellas de anís

azúcar de caña (para servir)

Maje las especias, a excepción del anís, en un mortero. Añada el majado a las hojas de té en la tetera.

A continuación, lleve a ebullición 1 litro de agua y viértala en la tetera. Añada el anís. Deje en infusión durante 10 minutos, filtre y utilice las estrellas de anís para decorar las tazas. Añada azúcar al gusto.

ELIXIR DE FRUTAS

TIEMPO DE COCCIÓN:
25 MIN

PARA 3 L

3 cm de jengibre fresco

2 manzanas

2 naranjas

3 limones

1 l de zumo de arándanos

1 l de zumo de manzana

200 ml de pomelo exprimido

300 ml de naranja sanguina exprimida

2 palos de canela troceados

10 clavos de olor

30 g de miel de acacia

Pele y trocee el jengibre. Corte la fruta en dados pequeños.

A continuación, mezcle los zumos con las especias y lleve a ebullición en una cacerola. Añada la fruta troceada.

Reduzca la llama y deje cocer durante 15 minutos.

Finalmente, endulce con la miel, añada la corteza de un limón y sirva templado o frío.

LECHE DE ALMENDRA

TIEMPO DE REMOJO:
1 NOCHE

PARA 1 L

40 almendras sin piel

1 pizca de cardamomo molido

1 pizca de pimienta molida

1 l de leche o agua templada

50 ml de miel de acacia

Ponga en remojo las almendras con un poco de agua (solo para cubrirlas) durante una noche. Al día siguiente, pele las almendras y tritúrelas durante unos minutos con el agua de remojo y las especias.

A continuación, añada la leche o el agua templadas, endulce con la miel y consúmala a temperatura ambiente.

CONSEJO

Consuma esta leche en cuanto esté preparada para aprovechar su riqueza en proteínas, vitaminas y sales minerales.

LECHE FERMENTADA

Tiempo de preparación:
20 h + 1 día

Ingredientes

leche

Utilice la leche procedente de alguna granja que se dedique a la cría biológica y recójala recién ordeñada. No deje que se enfríe, puesto que no fermentaría de manera natural. Acomode el recipiente que contiene la leche al lado de la cocina o del horno, o simplemente cúbrala con un paño caliente. Déjela «trabajar» durante unas veinte horas y, después, quite la nata. Siga manteniendo la leche a temperatura cálida durante 1 día. Transcurrido este tiempo, tendrá la leche fermentada a punto para consumir.

SMOOTHIE ANTIOXIDANTE

PARA 500 ML

300 ml de sandía

200 ml de zumo de manzana

1 cucharada de arándanos secos

1 cucharadita de sorbete de limón (o 1/4 de lima) por vaso

Bata todas las frutas conjuntamente y obtendrá un *smoothie* con vitaminas A y C, además de numerosos antioxidantes.

La acidez de los arándanos y de la lima (o el limón) combina con la dulzura de la manzana y de la sandía.

SMOOTHIE INFERNAL

PARA 500 ML

350 ml de zumo de manzana

50 ml de arándanos

100 ml de melón

Bata todos los ingredientes conjuntamente para preparar este sabroso *smoothie*.

El arándano tiene propiedades antioxidantes, y el melón es rico en vitamina C, en betacaroteno y en potasio.

SMOOTHIE BRASILEÑO

PARA 500 ML

400 ml de zumo de manzana

1/2 aguacate

1/2 plátano

3 o 4 tallos de cilantro

1 cucharadita de sorbete de limón (o 1/4 de lima) por vaso

Bata todos los ingredientes conjuntamente para preparar este sabroso *smoothie*.

El aguacate es muy rico en proteínas y en ácido fólico, contiene potasio y es fuente de ácidos grasos monoinsaturados.

SMOOTHIE CREMOSO

PARA 500 ML

350 ml de zumo de pera

100 ml de papaya

1/2 aguacate

1 cucharadita de sorbete de limón (o 1/4 de lima) por vaso

Bata todos los ingredientes conjuntamente para preparar este sabroso *smoothie*.

La papaya es rica en vitaminas, minerales y elementos fitoquímicos que permiten luchar de forma eficaz contra enfermedades cardiovasculares.

SMOOTHIE DEL VIAJERO

PARA 500 ML

300 ml de zumo de manzana

100 ml de piña

100 ml de lichis sin piel ni semilla

1 trozo de jengibre (2 o 3 cm)

3 o 4 hojas de menta

Bata todos los ingredientes conjuntamente para preparar este sabroso *smoothie*.

Una bebida que permite cubrir las necesidades de vitamina C, potasio, fósforo y cobre.

SMOOTHIE MUY VERDE

PARA 500 ML

250 ml de zumo de manzana

100 ml de zumo de pomelo

1/2 aguacate

120 ml de pepino pelado y sin semillas

1 cucharada de miel (opcional)

Bata todos los ingredientes conjuntamente para preparar este sabroso *smoothie*.

El pepino es rico en silicio, mineral excelente para la tez.

SMOOTHIE MORADO

PARA 500 ML

400 ml de zumo de naranja

50 g de arándanos

1/2 plátano

1 cucharada de sirope de arce o de miel

Bata todos los ingredientes conjuntamente para preparar este sabroso *smoothie*.

El arándano es el fruto más rico en antioxidantes. La antocianina, de la que rebosa, tiene propiedades antiedad y antiinfecciosas.

SMOOTHIE CHOCOLATEADO

Para 500 ml

300 ml de zumo de pera

1 plátano

100 ml de sorbete o de leche de coco

1 cucharada de cacao en polvo

Bata todos los ingredientes conjuntamente para preparar esta sabrosa combinación.

Las frutas que contiene este *smoothie* están repletas de nutrientes y el cacao sin azúcar es un buen antioxidante.

PANES

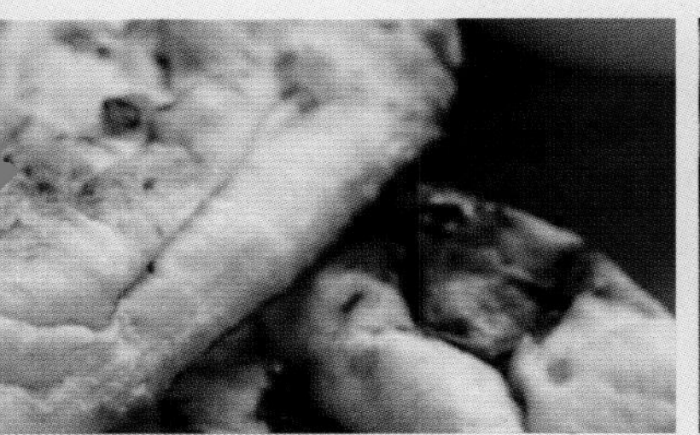

TORTILLAS DE TRIGO

TIEMPO DE FERMENTACIÓN: 1 H

TIEMPO DE COCCIÓN: 2 MIN POR TORTILLA

PARA 6 PERSONAS

300 g de harina para repostería

2 g de bicarbonato

8 g de sal

30 g de manteca, mantequilla o aceite

150 ml de agua o de leche

aceite

Mezcle la harina, el bicarbonato y la sal. Añada la manteca en trocitos y el agua. Siga mezclando, y a continuación empiece a amasar la mezcla durante unos minutos hasta que la perciba ligera, homogénea y lisa.

Llegado este punto, acomódela en un recipiente untado con un poco de aceite, dele unas vueltas para que se engrase y cúbrala con plástico transparente de uso alimentario. Deje que repose durante 1 hora.

Sobre una superficie de trabajo lisa, divida la masa en una docena de bolitas y aplánelas con el rodillo hasta obtener tortitas muy finas. Puede ayudarse disponiendo la masa entre dos hojas de papel parafinado para horno de 20 × 20 cm.

Retire la hoja de encima, dé la vuelta a la tortilla sobre la sartén apenas engrasada y retire la segunda hoja. Fría las tortillas durante 1 minuto por cada lado. Deje enfriar bajo un paño.

Proteja las tortillas del aire para que no se sequen.

PAN DE MAÍZ

Tiempo de fermentación: 2H

Tiempo de cocción: 10 MIN

Para 6 personas

200 g de harina de maíz fina

200 g de harina para repostería

2 g de azúcar

20 g de levadura de pan fresca

250 ml de leche o de agua

10 g de sal fina

40 g de manteca o de aceite

Mezcle las harinas. Añada el azúcar y la levadura desmenuzada. Remueva al tiempo que añade la leche o el agua. Transcurridos dos o tres minutos, incorpore la sal y, después, la manteca (o el aceite). Trabaje la masa entre 10 y 15 minutos y luego acomódela en un recipiente engrasado, cúbrala y déjela reposar unos 30 minutos en un lugar cálido.

Sobre la superficie de trabajo enharinada, divida la masa en doce porciones de 40-50 g. Dé forma a los panecillos y dispóngalos sobre una placa de pastelería engrasada, dejando espacio entre ellos. Cubra con plástico transparente para uso alimentario y deje que fermenten durante 1 h 30 min en un lugar cálido.

Transcurrido este tiempo, lleve al horno durante 10 minutos a 220 °C. Finalizada la cocción, deje que se enfríen antes de servir.

CONSEJO

Coloque dos o tres cubitos de hielo en la grasera para que produzcan vapor durante los primeros segundos y de esta forma la cocción resultará perfecta.

PAN DE FRUTA CONFITADA Y ESPECIAS

Tiempo de fermentación:
2 h 30 min

Tiempo de cocción:
1 h 15 min

Para 1 pan

- 500 g de harina integral
- 175 g de mantequilla
- 150 g de corteza de naranja confitada
- 150 g de corteza de cidra confitada
- 90 g de almendras picadas
- 1 cm de jengibre fresco
- 1 pizca de canela
- 1/2 cucharadita de *quatre-épices* (pimienta, clavo, nuez moscada, jengibre)
- 300 g de pasas de Málaga
- 25 g de levadura de pan fresca
- 1 cucharadita de sal
- 200 ml de agua templada

En primer lugar, diluya la levadura en el agua.

Agregue a la harina la levadura diluida, la sal y la mantequilla cortada en trozos pequeños. Amase sobre la superficie de trabajo enharinada.

Cubra con un paño y deje reposar durante 2 horas en un lugar caliente. Mientras tanto, coloque en un cuenco grande las cortezas confitadas, las almendras picadas, las pasas y el jengibre rallado.

Cuando la masa haya alcanzado el doble de su volumen, divídala en dos porciones desiguales, de modo que una de ellas sea el doble de la otra. Estire la mayor con el rodillo hasta formar un disco de 3 cm de grueso. Practique una depresión en el centro y vierta en ella el contenido del cuenco. Agregue las *quatre-épices* y la canela. Distribúyalo todo cuidadosamente y desplace los bordes de la masa hacia el centro para obtener una bola.

Extienda la otra porción de masa formando un disco bastante delgado. Cubra con él la bola rellena.

Disponga el conjunto, con la parte lisa arriba, sobre una placa cubierta con papel parafinado para horno untado con mantequilla. Cubra con un paño y deje reposar durante 30 minutos.

Durante este tiempo, caliente el horno a 180 °C. Pinche toda la superficie de la bola con un tenedor y cuézala durante 75 minutos.

¿SABÍA QUE...?

Este energético pan es muy apreciado en invierno por su sabor gustoso y especiado.

CRUASANES CON LECHE DE SOJA

TIEMPO DE FERMENTACIÓN: 1 NOCHE

TIEMPO DE COCCIÓN: 20 MIN

PARA 4 O 5 PERSONAS

- 350 g de harina
- 150 g de leche de soja
- 50 g de azúcar de caña
- 125 g de margarina no hidrogenada
- 1 sobre de levadura de pan
- aceite
- sal

La noche anterior, mezcle todos los ingredientes a excepción de la margarina y amase cuidadosamente a mano la pasta. Métala en un recipiente hermético de gran tamaño y acomódelo en la parte baja del frigorífico o en un lugar muy fresco.

Al día siguiente, trabaje la masa en un lugar fresco sobre una superficie fría, como por ejemplo el mármol. Estírela con el rodillo hasta conseguir una lámina muy fina y extienda la mitad de la margarina en el centro. Doble los bordes por encima, pase el rodillo de nuevo y extienda el resto de la margarina. Repita la operación hasta conseguir de esta forma el hojaldre. Corte la masa en triángulos y enróllelos partiendo de la base hacia el vértice para formar los cruasanes. Cúrvelos ligeramente y dispóngalos sobre una placa untada con aceite. Deje que fermenten mientras se calienta el horno a 200 °C.

Finalmente, hornéelos durante 20 minutos sin olvidar colocar un recipiente con agua en el horno.

CHAPATI

TIEMPO DE FERMENTACIÓN: 1 H

TIEMPO DE COCCIÓN: 25 MIN

PARA 4 O 5 PERSONAS

500 g de harina semiintegral

400 ml de agua templada

aceite de sésamo

60 g de mantequilla fundida

10 g de sal

Mezcle la sal con la harina y añada el agua poco a poco. A continuación, amase hasta obtener una bola ligera y lisa. Deje reposar durante 1 hora.

Después, divida la masa en quince porciones, estire con el rodillo para formar discos de pocos milímetros de espesor.

Unte con el aceite de sésamo una sartén caliente y fría los discos hasta que aparezcan burbujas. Deles la vuelta y fría del otro lado; comprima los panes con una servilleta doblada para que salga el aire y puedan hacerse de manera uniforme.

Finalmente, unte ambos lados de los panes con mantequilla fundida y apílelos sobre un plato, que cubrirá con un paño para mantenerlos calientes.

CONSEJO

Tenga cuidado de no pinchar los *chapati* mientras los fríe, puesto que podría quemarse con el vapor que queda aprisionado en su interior.

PAN DE CALABAZA Y MIEL

TIEMPO DE FERMENTACIÓN: 2-3 H

TIEMPO DE COCCIÓN: 30 MIN

PARA 1 PAN

750 g de harina integral o ligeramente tamizada

250 g de calabaza cocida

250 ml de leche

8 cucharadas de miel

4 cucharadas de mantequilla fundida

2 sobres de levadura instantánea de pan

2 huevos

1 cucharadita de sal

Caliente la leche en una cacerola y agregue la miel, la mantequilla, la sal y la calabaza removiendo bien. Deje enfriar.

En un bol grande, mezcle la harina con la levadura, forme un volcán y vierta en él la mezcla de calabaza y leche y los huevos batidos. Cubra con la harina (añadiendo dos cucharadas de agua templada si toda la harina no llega a amalgamarse) y amase la pasta a continuación.

Deje fermentar en un lugar templado; la masa debe duplicar su volumen. Dele la vuelta y colóquela en un molde untado con mantequilla.

Para finalizar, deje que fermente de nuevo en el molde y hornee durante 30 minutos a 210 °C.

CONSEJO

También se pueden preparar panecillos con una masa un poco más consistente, reduciendo el tiempo de cocción.

NAAN

Tiempo de fermentación:
2-3 h
Tiempo de cocción:
30 min

Para 8 personas

500 g de harina
1 cucharadita de azúcar
1 huevo
200 ml de leche
1 sobre de levadura instantánea de pan
100 g de cuajo
aceite
sal

Tamice la harina y agregue el azúcar, el huevo, la leche, el cuajo y la levadura diluida en un poco de agua templada y una pizca de sal. Amase hasta obtener una pasta suave y elástica. Cúbrala con un paño limpio y deje que fermente durante 2-3 horas a temperatura ambiente.

A continuación, divida la masa en cuatro porciones haciendo bolas y estírelas con el rodillo dándoles una forma parecida a un triángulo isósceles. Colóquelos sobre una placa untada con aceite.

Cueza los *naan* durante 30 minutos en un *tandoor* (¡si dispone de uno!) o en el horno normal precalentado a 250 °C, hasta que los dos lados estén dorados. El *naan* debe ser al mismo tiempo crujiente y esponjoso.

CONSEJO

El *naan* se sirve untado con *ghee* fundido. Antes de la cocción se le pueden agregar semillas de *nigella* o cebollas picadas y estofadas.

PAN DE AJO Y CEBOLLA

Tiempo de fermentación: 2-3 h

Tiempo de cocción: 1 hora

Para 1 pan grande

1 kg de masa de pan

3 dientes de ajo picados finos

200 g de cebolla picada fina

curri, estragón, tomillo, romero, cebollino, perejil, etc.

sal

Deje fermentar la masa de pan una primera vez, incorpore la sal, el ajo, la cebolla, el curri y las hierbas que prefiera. Mantenga la masa en reposo hasta que alcance el doble del volumen inicial. Por último, hornee durante 1 hora en el horno caliente.

CONSEJO

Este pan puede consumirse caliente.

PAN DE YOGUR

Tiempo de fermentación: 2 h

Tiempo de cocción: 45 min

Para 1 pan

3 tazones de harina semiintegral

3 g de levadura instantánea de pan

1 yogur

1 pizca de sal

Diluya la levadura con un poco de agua templada y mézclela con la harina, el yogur y la sal. Agregue un poco de agua si la masa queda demasiado seca. Amase y deje fermentar durante 2 horas. Cueza en el horno caliente durante 45 minutos.

PAN BIOLÓGICO DE MASA MADRE

TIEMPO DE FERMENTACIÓN:
3 DÍAS + 2 DÍAS + 1,5 DÍAS

PARA 3 O 4 PANES

1,5 kg de harina integral

1 cucharada de sal gruesa

750 ml de agua lo más pura posible, no clorada

Mezcle 50 g de harina biológica integral y la cantidad suficiente de agua no clorada para formar una bola elástica. Deje reposar esta masa a 18 °C durante tres días en un bol cubierto con un paño. Adquirirá un olor ácido y se hinchará, haciéndose esponjosa. La primera masa madre ya está preparada.

Agregue dos cucharadas de harina integral y deje que repose otros dos días. La masa madre estará en su punto. Tan solo resta añadir agua, tres o cuatro veces su peso de harina y sal para obtener el pan de masa madre.

Mezcle todos los ingredientes y amase, amase, amase...

A continuación, forme una bola, enharine ligeramente y ármese de paciencia para ver cómo aumenta su volumen durante un día y medio a 18 °C.

Hornee el pan hasta que se dore.

PAN A LA CAZUELA CON COMINO

TIEMPO DE FERMENTACIÓN: 4 H

TIEMPO DE COCCIÓN: 50 MIN

PARA 1 PAN

800 g de harina semiintegral

30 g de levadura de pan fresca

1 cucharada de semillas de comino

1 yema de huevo

1 o 2 cucharadas de miel

1 cucharadita de sal fina

aceite

Diluya la levadura y la miel en un tazón de agua templada y deje reposar durante 10 minutos. Vierta esta mezcla sobre la harina; añada la sal y la yema de huevo. Mezcle todo. Agregue poco a poco el agua necesaria (un par de cucharadas) para que toda la harina se amalgame. Espolvoree el comino. Amase durante 10 minutos como mínimo.

Cubra la masa con plástico transparente para uso alimentario untado con aceite y deje que fermente durante 3 horas.

Transcurrido este tiempo, amase de nuevo durante 1 minuto, forme una bola y colóquela en una cazuela de hierro colado untada con aceite, que sea lo bastante alta como para que la masa, una vez fermentada, no llegue a tocar la tapadera. Cubra y deje fermentar durante 1 hora, aproximadamente.

Cueza en el horno caliente durante unos 50 minutos.

Finalizada la cocción, desmolde sobre una rejilla y deje que el pan se enfríe.

CONSEJO

Este pan, que tiene la particularidad de hacerse en una cazuela de hierro colado tapada, resulta muy esponjoso y posee una corteza tierna. Se pueden sustituir las semillas de comino por otras de sésamo o de eneldo.

PAN DE ESPECIAS

TIEMPO DE COCCIÓN:
1 H

PARA 1 PAN

250 g de harina de centeno

300 g de miel

80 g de mantequilla

1/2 cucharadita de canela en polvo

1/2 cucharadita de jengibre en polvo

1/2 cucharadita de nuez moscada en polvo

2 huevos grandes

1 sobre de levadura química

125 ml de leche o de agua, a su gusto

1 pizca de sal

Funda la mantequilla y la miel a fuego muy suave.

Forme un volcán con la harina tamizada junto con la canela, el jengibre, la nuez moscada y la sal. Incorpore los huevos. Agregue la levadura disuelta en la leche o el agua.

Añada a la preparación la mantequilla con la miel y mezcle bien todos los ingredientes.

Para finalizar, vierta la masa en un molde rectangular untado con mantequilla y hornee a 150 °C durante 1 hora. Desmolde y deje enfriar sobre una rejilla.

CONSEJO

Si desea un pan de especias aún más sabroso, agregue un poco de pimienta molida y la ralladura de una naranja o de un limón.

PASTEL DE AVELLANAS Y FRUTA SECA

TIEMPO DE COCCIÓN:
1 H

INGREDIENTES

200 g de harina
500 ml de leche
200 g de avellanas enteras tostadas
200 g de pasas de Esmirna
200 g de orejones de albaricoque
120 g de higos secos
1 cucharada de *kirsch* o ron (opcional)
cáscara de limón

Tueste las avellanas sin cáscara sobre la placa de horno hasta que las pieles se tuesten y se puedan desprender con facilidad.

Corte los orejones y los higos en tiras finas; reserve un par de frutos de cada clase para la decoración.

Mezcle la fruta seca con el alcohol si ha decidido utilizarlo, añada la cáscara del limón y a continuación la leche.

Coloque en un cuenco grande la harina tamizada e incorpore cuidadosamente la preparación anterior.

Acomode la mezcla en un molde rectangular. Hornee a 180 °C. Transcurridos 30 minutos, decore con los higos enteros ligeramente cortados y aplastados, alternados con los orejones tratados del mismo modo. Lleve de nuevo al horno y prosiga durante otros 30 minutos.

CONSEJO

Este pastel puede conservarse hasta tres semanas en el frigorífico, tapado con una hoja de papel de aluminio.

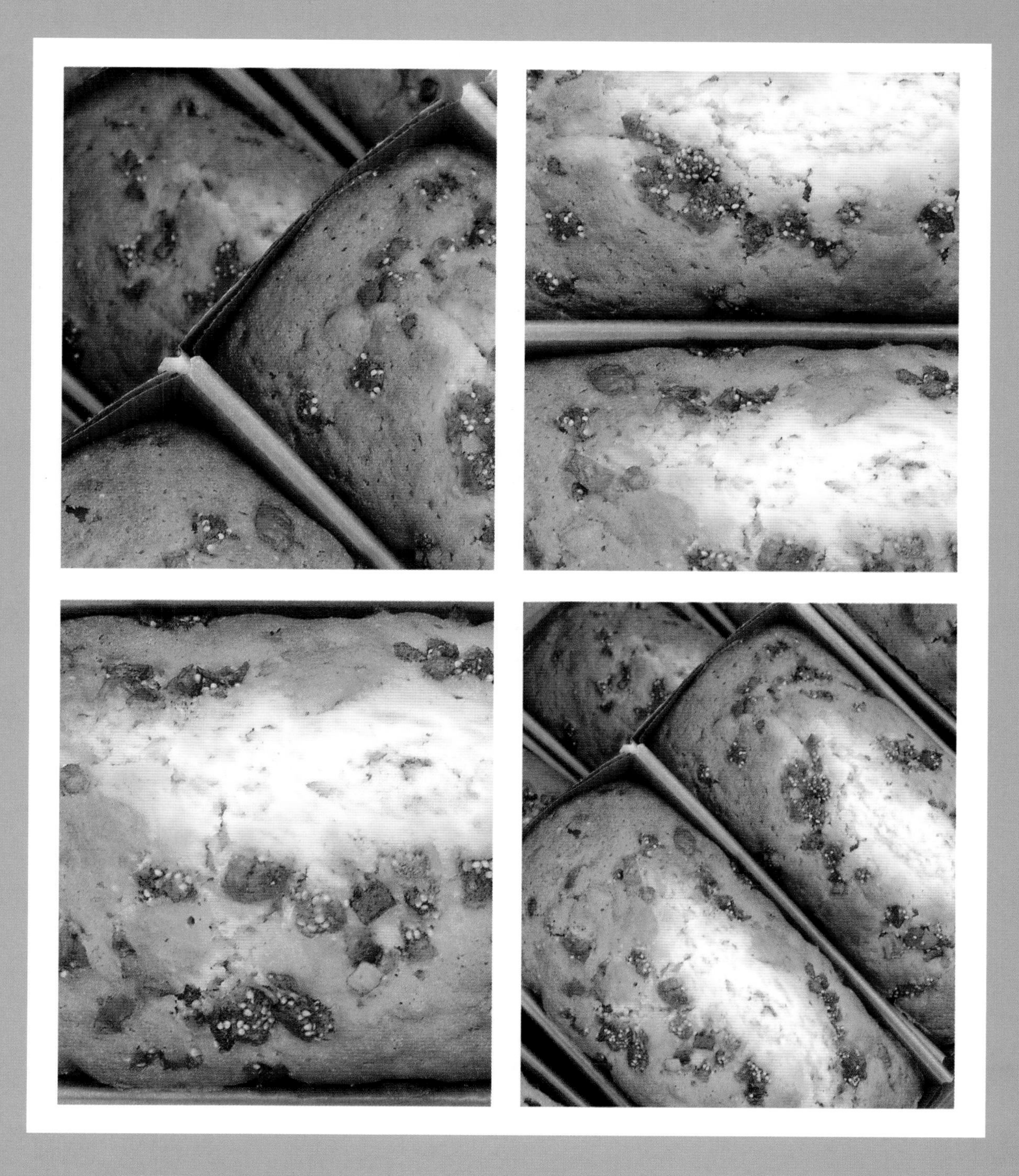

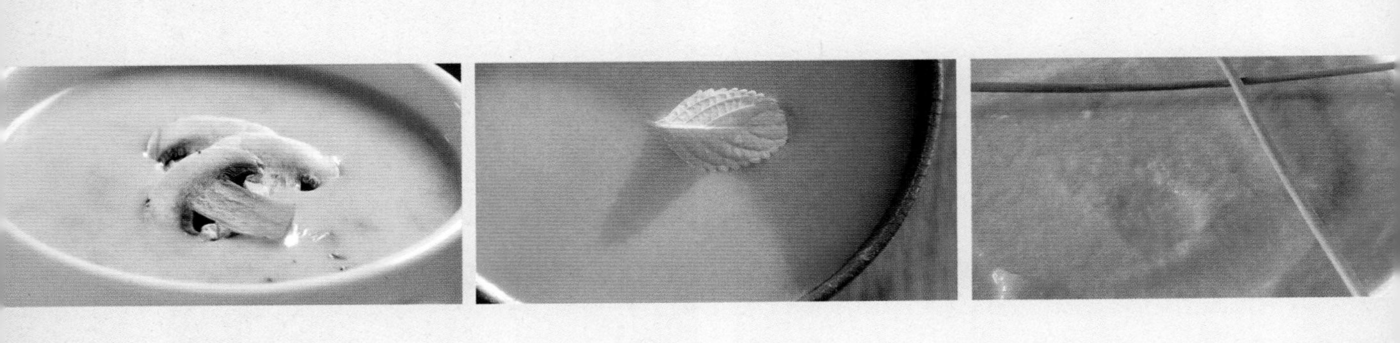

Sopas

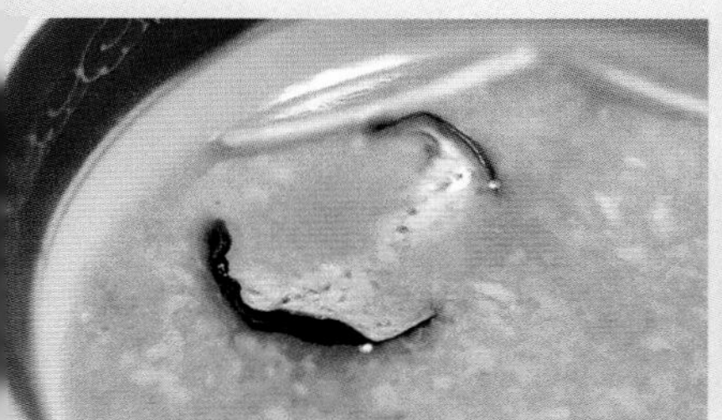

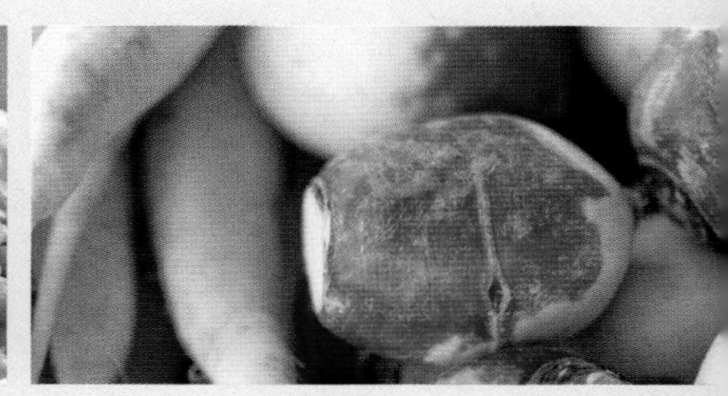

SOPA DE *MISO*

TIEMPO DE COCCIÓN:
5 MIN

PARA 4 PERSONAS

- 1 l de caldo *dashi*
- 60 g de miso
- 120 g de tofu cortado en cubos
- 1 cebolleta (la parte verde cortada en juliana)
- 3 setas *shiitake*

Limpie las setas y córtelas en láminas finas. Lleve a ebullición el *dashi*, añada el *miso* y las setas, y deje cocer durante 3 minutos. A continuación, distribuya el tofu y la cebolleta en cuatro cuencos y vierta el caldo caliente en el momento de servir.

SOPA DE GUISANTES

Tiempo de cocción:
10 min

Para 4 personas

1 lata de guisantes finos

leche o nata líquida

picatostes

bulgur o sémola (optativo)

sal

pimienta

Disponga los guisantes en una cacerola y cúbralos de agua. Caliéntelos y tritúrelos. A continuación añada leche o nata líquida hasta conseguir la textura deseada. Salpimiente y sirva con picatostes y agregue, si desea espesar el conjunto, *bulgur* o sémola.

SOPA DE NABOS

Tiempo de cocción:
10 min

Para 4 personas

800 g de caldo de base

400 g de nabos blancos

5 g de *kazu* disuelto en un poco de agua

10 g de jengibre fresco rallado

5 g de sal

Una vez limpios y pelados, corte los nabos en cubos y blanquéelos durante 5 minutos, añadiendo una parte de la sal. A continuación, ponga el caldo a hervir, añada los nabos y deje cocer durante 4 minutos. Apague el fuego y añada el *kazu*. Después, prenda de nuevo la llama y deje cocer durante 1 minuto, removiendo siempre y corrigiendo la sal si es necesario. Finalmente, reparta la sopa en cuatro boles individuales y decore con jengibre rallado antes de servir.

SOPA DE PEPINO

Tiempo de cocción:
20 min

Para 4 personas

1 pepino

2 cucharadas de sémola

1 ramillete de finas hierbas

nata líquida (optativo)

sal

pimienta

Pele el pepino y córtelo en trozos. A continuación, cuézalo en 1 litro de agua y tritúrelo. Vierta la sémola en la sopa y deje cocer. Una vez cocida, añada las finas hierbas, sal y pimienta. Puede agregar nata líquida si desea una sopa más untuosa.

CREMA DE HABAS FRESCAS

TIEMPO DE COCCIÓN: 20 MIN

PARA 4 PERSONAS

1 kg de habas

1 cebolla

1 patata grande

1/2 apionabo

finas hierbas (ajedrea, albahaca)

sal

pimienta

Desgrane las habas. A continuación, filetee la cebolla y corte la patata y el apionabo en trozos pequeños; en una cacerola al fuego, disponga las habas, la cebolla, el apionabo y la patata, y deje cocer en 1 litro de agua. Añada las finas hierbas y, cuando esté todo cocido, triture el compuesto con la batidora eléctrica. Salpimiente antes de servir.

CREMA DE CHAMPIÑONES

TIEMPO DE COCCIÓN:
20 MIN

PARA 4 PERSONAS

- 200 g de champiñones
- fécula de arroz o de maíz, nata líquida o yema de huevo
- aceite
- mantequilla
- sal

Rehogue los champiñones en una sartén antiadherente en una mezcla de aceite y mantequilla. Cuando estén en su punto, acomódelos en una cacerola con 1 litro de agua salada hirviendo. Deje cocer durante 10 minutos y triture. A continuación, ligue la sopa con fécula de arroz o de maíz, o con nata líquida o yema de huevo.

CREMA DE BERROS Y SÉMOLA DE CEBADA

TIEMPO DE COCCIÓN:
20 MIN

PARA 4 PERSONAS

1 manojo de berros

1 cucharada de sémola de cebada

1 cucharada de nata líquida

aceite

sal

En una cazuela al fuego con aceite, rehogue los berros. Añada 1 litro de agua, triture y sazone ligeramente. Después, agregue la sémola de cebada y deje cocer durante 5 minutos. Finalmente, añada la nata líquida.

CREMA DE COL CHINA

TIEMPO DE COCCIÓN: 20 MIN

PARA 4 PERSONAS

600 g de col china

500 ml de caldo de pollo o de verduras

2 cucharadas de aceite de maíz

1 cucharadita de jengibre fresco rallado

1 cucharadita de maicena

1 cucharadita de aceite de sésamo

3 cucharadas de sake

1 cucharada de azúcar

sal

pimienta blanca

En primer lugar, lave la col y córtela en trozos; reserve una hoja de col cortada en juliana.

Caliente el *wok* y rehogue el jengibre en aceite de maíz, añada la col y deje que se haga durante 2 o 3 minutos.

Vierta el sake, sazone e incorpore el azúcar y el caldo. Lleve a ebullición y deje cocer a fuego medio.

Mientras, diluya la maicena con un poco de agua y viértala en la sopa, removiendo para que se espese.

Retire el preparado del fuego y tritúrelo con la batidora eléctrica.

Sazone con pimienta blanca y sirva en boles individuales con la juliana de col y un poco de aceite de sésamo.

CONSEJO

Para crear un contraste de colores, añada granos de sésamo negro.

SOPA DE FIDEOS CON CHAMPIÑONES Y ESPINACAS

Tiempo de cocción:
20 min

Para 4 personas

100 g de fideos chinos

250 g de champiñones

250 g de espinacas

1 zanahoria cortada en juliana

1 cucharada de sake

1 cucharada de salsa de soja

aceite

sal

pimienta

Limpie bien los champiñones y las espinacas, y córtelos en juliana.

Una vez cortados, saltee los champiñones en aceite muy caliente, y añada las espinacas y la zanahoria; cúbralo todo con 1 litro de agua.

Agregue los fideos y deje cocer a fuego medio durante 10 minutos. Vierta la salsa de soja y el sake, salpimiente y prosiga la cocción durante 3 minutos. Sirva muy caliente.

SOPA DE CASTAÑAS

TIEMPO DE REMOJO:
1 NOCHE

TIEMPO DE COCCIÓN:
20 O 25 MIN

PARA 4 PERSONAS

500 g de castañas secas

leche

miel

sal

Ponga en agua las castañas durante 12 horas.
Después de escurrirlas, cuézalas en agua hirviendo y finalice la cocción en leche. Antes de servir, endulce con miel y sazone ligeramente con sal.

CREMA VERDE

Tiempo de cocción:
25 min

Para 4 personas

2 puerros pequeños

1 ramito de perifollo y perejil

1 puñado de hojas de acedera

4 cucharadas de sémola

1 cucharada de aceite de oliva

sal

Quite los tallos del perifollo y del perejil. En una cacerola al fuego con aceite, rehogue todas las hierbas junto con los puerros. A continuación, cubra con 1 litro de agua, sazone ligeramente y deje cocer durante 15 minutos. Transcurrido este tiempo, añada la sémola, cueza otros 5 minutos y sirva.

CREMA DE ESPÁRRAGOS

Tiempo de cocción:
1 h 10 min

Para 4 personas

800 g de espárragos verdes
1 l de caldo de cubito
1 l de leche
2 huevos
100 g de mantequilla
100 g de harina
2 cucharadas de queso parmesano rallado
nata líquida
picatostes
sal

Corte las puntas de los espárragos y lávelas.

En una olla, caliente la leche y el caldo.

Funda 50 g de mantequilla y añada la harina removiendo. Vierta la mezcla en la olla y, cuando la preparación rompa a hervir, sumerja los espárragos y deje cocer durante 1 hora removiendo suavemente. Triture la crema a su gusto.

En una sopera, coloque los huevos, el resto de la mantequilla, el queso parmesano y la nata líquida. Sazone, remueva y vierta el caldo de espárragos por encima. Sirva acompañada de unos picatostes.

SOPA DE AJO

Tiempo de cocción:
25 min

Para 4 personas

3 dientes de ajo
pan de hogaza duro
1 huevo
1 cucharada de aceite de oliva
sal

Hierva los dientes de ajo en 1 litro de agua salada durante 15 minutos.

Mientras, corte el pan en rebanadas finas y acomódelo en la sopera. Ligue la yema de huevo con el aceite de oliva como si se tratase de una mayonesa, y bata la clara a punto de nieve. Vierta el caldo de ajo sobre el pan y a continuación la yema de huevo preparada, ¡nunca a la inversa! Remueva bien y añada la clara para que se cuaje. ¡Todo el mundo en la mesa se la disputará!

CREMA DE ARROZ CON ESTRAGÓN

Tiempo de cocción:
25 min

Para 4 personas

60 g de fécula de arroz

4 yemas de huevo

1 manojito de estragón

leche fría

Vierta 2 litros de agua en una cazuela y añada la fécula de arroz, previamente diluida en una taza con leche fría. Lleve la mezcla a ebullición y cueza durante 15 minutos. Mientras, diluya las yemas de huevo con un poco de agua fría.

Retire la cazuela del fuego, espere unos minutos y agregue las yemas. Ponga nuevamente la cazuela a fuego suave y remueva sin que llegue a hervir. Finalmente, añada las hojas de estragón.

VARIANTE

Utilizando el agua de conservación de una lata de espárragos en vez de agua, conseguirá una crema de espárragos.

SOPA DE ALMENDRAS

Tiempo de cocción:
25 min

Para 4 personas

400 g de carne de calabaza

ghee

8 hojas de col verde

4 patatas

40 almendras peladas

500 ml de leche

80 g de maicena

10 gotas de esencia de almendra

200 ml de nata líquida

sal

pimienta

En una olla rápida, rehogue, con una cucharada de *ghee*, las verduras picadas y 30 almendras.

Añada 1 litro de agua, cierre la olla y deje cocer durante 10 minutos desde que la válvula empiece a silbar.

Transcurrido este tiempo, deje enfriar, filtre una parte del líquido y triture.

Devuelva la olla al fuego y añada la leche, la maicena y la esencia de almendra. Salpimiente y deje que se espese.

En el momento de servir, agregue la nata líquida y decore con las almendras restantes.

SOPA DE COL Y TOFU

Tiempo de cocción:
25 min

Para 4 personas

800 ml de caldo de base

60 g de miso claro

160 g de tofu

160 g de col japonesa

1 puerro

10 g de sésamo negro

Lleve el caldo a ebullición, apague el fuego, añada el *miso* para que se diluya y cuele. Corte la col y el puerro en láminas (reserve algunos aros de puerro) e incorpórelos al caldo. Deje cocer durante 5 o 6 minutos.

A continuación, corte el tofu en dados de 1 cm de lado y agréguelo a la sopa.

Vierta la sopa en boles individuales y espolvoree por encima unos aros de puerro crudo o una pizca de sésamo.

Sírvala muy caliente.

SOPA DE GUISANTES CON PASTA

TIEMPO DE COCCIÓN:
30 MIN

PARA 4 PERSONAS

500 g de guisantes

200 g de harina

2 huevos

1,5 l de caldo de cubito

3 cucharadas de queso parmesano rallado

sal

Mezcle la harina y los huevos hasta conseguir una masa. Extiéndala con el rodillo y córtela en pequeños rectángulos.

A continuación, caliente el caldo y, cuando empiece a hervir, incorpore los guisantes. Sale. Déjelos cocer durante 20 minutos; añada la pasta y retire la cazuela del fuego cuando vuelva a hervir.

Vierta la sopa en la sopera y sírvala acompañada de queso parmesano rallado.

SOPA DE CALABAZA

TIEMPO DE COCCIÓN:
30 MIN

PARA 4 PERSONAS

1/2 calabaza

1 patata grande y harinosa

1 cebolla

nuez moscada rallada

leche o nata líquida

Corte la calabaza en trozos. Acomódela en una cazuela junto con la patata y la cebolla. Cubra con agua fría y deje cocer durante 30 minutos.

Transcurrido este tiempo, triture el preparado con la batidora eléctrica y añada la leche o la nata líquida, y antes de servir, espolvoree nuez moscada por encima.

VELOUTÉ DE ZANAHORIAS CON COMINO

TIEMPO DE COCCIÓN: 30 MIN

PARA 4 PERSONAS

600 g de zanahorias

1 cubito de caldo de verduras

200 ml de nata líquida

10 g de mantequilla

1 cucharada de aceite de oliva

2 pizcas de comino en polvo

1 pizca de semillas de comino

unas hojas de cilantro

zumo de 1 naranja

1 cebolla

1 terrón de azúcar

sal

pimienta negra recién molida

Una vez limpias y peladas las zanahorias, córtelas en láminas. Pele la cebolla y píquela.

En una cazuela con aceite y mantequilla, rehogue las zanahorias y la cebolla. Añada el comino en polvo y prosiga la cocción durante 5 minutos a fuego suave. Salpimiente.

Agregue el cubito de caldo, el azúcar y 500 ml de agua. Lleve a ebullición, tape y deje cocer a fuego moderado durante 20 minutos: las zanahorias deben quedar tiernas.

Llegado este punto, triture las zanahorias y la cebolla con la batidora eléctrica, añadiendo poco a poco el líquido de cocción.

Vierta el zumo de naranja y la nata líquida en la cazuela. Deje que hierva y espese, y mezcle con el contenido de la batidora.

Finalmente, distribuya la *velouté* en platos, espolvoree con las semillas de comino y con hojas de cilantro por encima. Sirva.

SOPA JAPONESA DE FIDEOS

TIEMPO DE COCCIÓN:
30 MIN

PARA 4 PERSONAS

200 g de fideos *udon*, *soba* o chinos

125 g de yemas de espárragos o de tirabeques cortados al bies

50 g de *shiitake* sin tallo y cortados en finas lonchas

1 zanahoria cortada en dados

3 cebollas cortadas en aros finos

3 cucharadas de *mugi miso* (*miso* de cebada)

2 cucharadas de sake o de jerez seco

1 cucharada de vinagre de arroz o de vino

3 cucharadas de salsa de soja japonesa

1 cucharadita de chile triturado (para servir)

sal

pimienta recién molida

En una cazuela grande al fuego, lleve a ebullición 1 litro de agua. Vierta 150 ml del agua hirviendo sobre el *miso* y remueva hasta que se haya disuelto; resérvelo.

Mientras, lleve a ebullición agua salada en otra cazuela grande. Sumerja los fideos y déjelos cocer hasta que estén tiernos. Escúrralos, enjuáguelos con agua fría y escúrralos nuevamente.

En la primera cazuela con agua hirviendo, vierta el sake o el jerez, el vinagre de arroz o de vino y la salsa de soja. Deje que cueza durante 3 minutos, hasta que el alcohol se haya evaporado. A continuación, modere la llama e incorpore la mezcla de *miso*.

Agregue los espárragos o los tirabeques, los *shiitake*, la zanahoria y las cebollas, y deje cocer durante 2 minutos, hasta que las hortalizas estén tiernas. Salpimiente a su gusto.

Distribuya los fideos en boles individuales y vierta la sopa encima. Sirva inmediatamente con chile espolvoreado por encima.

¿SABÍA QUE...?

Recuerde que el *miso* tiene propiedades antioxidantes.

SOPA DE LENTEJAS Y LECHE DE COCO

Tiempo de cocción:
55 min

Para 4 personas

200 g de lentejas coral enjuagadas

400 ml de leche de coco

2 dientes de ajo picados

2 cebollas rojas finamente picadas

1 guindilla pequeña despepitada y cortada en finas tiras

1 trozo de 2,5 cm de citronela fresca, pelada y finamente picada

1 cucharadita de cilantro en polvo

1 cucharadita de pimentón

zumo de 1 lima

3 cebolletas picadas

20 g de cilantro fresco picado

2 cucharadas de aceite de girasol

sal

pimienta recién molida

En una cazuela grande con aceite, acomode las cebollas, la guindilla, el ajo y la citronela. Rehogue durante 5 minutos sin dejar de remover, hasta que las cebollas estén blandas.

Añada las lentejas y las especias. Vierta la leche de coco y 900 ml de agua. Remueva. Lleve a ebullición, remueva de nuevo, baje la llama y deje cocer a fuego lento durante 40-45 minutos, hasta que las lentejas estén tiernas.

Agregue el zumo de lima, las cebolletas y el cilantro fresco, del cual deberá reservar una pequeña cantidad para decorar. Salpimiente según su gusto.

SOPA DE CEBOLLA GRATINADA

Tiempo de cocción:
35 min

Para 4 personas

500 g de cebollas
pan duro
queso gruyer rallado
sal
pimienta

Dore las cebollas en una sartén sin que oscurezcan. A continuación, acomódelas en una cazuela y cúbralas con 1 litro de agua. Salpimiente. Lleve a ebullición y luego mantenga en el fuego unos 10 minutos más. En un recipiente que pueda ir al horno, disponga capas de pan cortado en rebanadas alternando con otras de queso rallado. Vierta el contenido de la cacerola sobre el pan y el queso, espolvoree con queso rallado por encima y gratine en el horno durante 15 minutos.

SOPA CERES

TIEMPO DE COCCIÓN:
35 MIN

PARA 4 PERSONAS

200 g de garbanzos cocidos

1 cebolla

unas hojitas de menta

2 o 3 tallos de perejil

Sumerja los garbanzos y la cebolla pelada en 1 litro de agua y deje cocer durante 35 minutos. Transcurrido este tiempo, triture con la batidora eléctrica. Sirva con menta y perejil.

SOPA DE ALUBIAS

TIEMPO DE REMOJO:
1 NOCHE
TIEMPO DE COCCIÓN:
35 MIN

PARA 4 PERSONAS

250 g de alubias blancas secas
leche o nata líquida
picatostes
sal
pimienta

Ponga las alubias en remojo la noche anterior.

Escurra las alubias, cuézalas y tritúrelas con la batidora eléctrica. A continuación, alargue el puré obtenido con 1 litro de agua y añada leche o nata líquida. Salpimiente y sirva la sopa acompañada de picatostes.

VARIANTE

Puede sustituir las alubias secas por guisantes secos o lentejas. En este caso, no hace falta ponerlos en remojo.

SOPA DE ZANAHORIAS Y CILANTRO

TIEMPO DE COCCIÓN:
35 MIN

PARA 4-6 PERSONAS

450 g de zanahorias

1 cebolla picada

1 tallo de apio + algunas hojas

2 patatas pequeñas peladas

1 l de caldo de verduras

2 o 3 cucharaditas de cilantro en polvo

1 cucharada de cilantro fresco picado

1 cucharada de aceite de girasol

40 g de mantequilla

200 ml de leche

sal

pimienta recién molida

Pele las zanahorias y córtelas en trozos. En una cazuela grande, caliente el aceite y 25 g de mantequilla, y rehogue la cebolla a fuego suave durante 4 minutos, hasta que se ablande.

Mientras, corte las patatas en finas láminas. Añádalas a la cebolla y rehogue todo algunos minutos, removiendo, antes de tapar. Reduzca la llama y prosiga unos 10 minutos, removiendo de vez en cuando, para que no se peguen las verduras.

Añada el caldo sin llegar a cubrir las verduras y deje que hierva durante 8 o 10 minutos, hasta que las zanahorias y las patatas estén tiernas.

A continuación, pique el apio reservando unas hojitas para la decoración. Funda el resto de la mantequilla en una cacerola y rehogue el cilantro en polvo durante 1 minuto, removiendo sin cesar.

Reduzca la llama, añada el apio picado y el cilantro fresco. Rehóguelo todo durante 1 minuto y reserve.

Triture la sopa, viértala en una cazuela, añada la leche y la mezcla de cilantro y apio. Salpimiente y caliéntelo todo a fuego suave. Sirva decorada con las hojas de apio reservadas.

SOPA DE APIO Y CURRI

Tiempo de cocción:
35 min

Para
4 o 6 personas

700 g de apio picado

225 g de patatas con piel, lavadas y cortadas en dados

1 puerro cortado

1 cebolla picada

2 cucharaditas de aceite de oliva

1 cucharada de curri en polvo

900 ml de caldo de verduras

1 ramillete compuesto

1 cucharada de hierbas aromáticas frescas picadas

semillas y hojas de apio (para decorar)

sal

En una cacerola grande al fuego, caliente el aceite, añada la cebolla, el puerro y el apio. Tape y deje que se hagan durante 10 minutos removiendo a menudo.

Incorpore el curri en polvo y prosiga la cocción durante 2 minutos, removiendo de vez en cuando.

A continuación, añada las patatas, el caldo de verduras y el ramillete compuesto. Tape y deje cocer durante 20 minutos para que las verduras queden tiernas.

Retire el ramillete compuesto y deje que se enfríe la sopa.

Después, triture el preparado hasta obtener un puré homogéneo. Agregue las hierbas aromáticas, sale a su gusto y vuelva a triturar. Finalmente, caliente de nuevo la sopa a fuego suave.

En el momento de servir, espolvoree semillas de apio por encima de cada bol y decórelos con algunas hojitas.

VARIANTE

Si quiere una sopa algo más exótica, sustituya las patatas por boniatos.

SOPA DE ESPINACAS Y GARBANZOS

Tiempo de cocción:
35 min

Para 4 personas

- 350 g de patatas peladas
- 425 g de garbanzos cocidos
- 250 g de espinacas cortadas
- 4 dientes de ajo prensados
- 1 cebolla cortada
- 2 cucharaditas de cilantro en polvo
- 2 cucharaditas de comino en polvo
- 1,2 l de caldo de verduras
- 2 cucharadas de aceite de oliva
- 1 cucharada de maicena
- 150 ml de nata líquida
- 2 cucharadas de tajín
- pimienta de Cayena
- sal
- pimienta recién molida

En una cazuela de fondo grueso con aceite, rehogue el ajo y la cebolla durante 5 minutos hasta que estén dorados y tiernos.

Añada el comino y el cilantro, y prosiga la cocción durante 1 minuto.

A continuación, vierta el caldo de verduras y las patatas cortadas en trozos pequeños, y llévelo todo a ebullición durante 10 minutos. Agregue los garbanzos y deje que cuezan durante 5 minutos, hasta que las patatas y los garbanzos estén tiernos.

Mezcle la maicena, la nata líquida y el tajín, y vierta el compuesto en la sopa, a la vez que las espinacas. Lleve a ebullición sin dejar de remover, y deje cocer 2 minutos. Sazone con pimienta de Cayena, sal y pimienta. Sirva con un poco de pimienta espolvoreada, según su gusto.

SOPA AGRIDULCE

TIEMPO DE COCCIÓN:
35 MIN

PARA 4 PERSONAS

2 zanahorias

2 guindillas despepitadas y cortadas en tiras finas

4 cebollas cortadas en aros finos

2 dientes de ajo picados

125 g de tofu cortado en lonchas

2 tallos de citronela pelados

4 hojas de *kaffir*

900 ml de caldo de verduras

1 cucharadita de azúcar

zumo de 1 lima

3 cucharadas de cilantro fresco picado

sal

Vierta el caldo en una cazuela grande. Reserve media cucharada de guindilla y ponga el resto en la cazuela con la citronela, las hojas de *kaffir*, el ajo y la mitad de las cebollas. Lleve todo a ebullición, reduzca la llama y deje cocer durante 20 minutos. Cuele el caldo obtenido y quite las hierbas aromáticas.

Prepare las «flores de zanahoria» cortando cada una de ellas por la mitad en sentido longitudinal, y practicando 4 incisiones en forma de «V» en el mismo sentido. A continuación, corte las zanahorias en rodajas y resérvelas.

Vierta de nuevo el caldo filtrado en la cazuela y añada la guindilla y las cebollas reservadas, el azúcar, el zumo de lima y el cilantro. Sazone a su gusto.

Deje cocer durante 5 minutos, agregue las flores de zanahoria y el tofu. Mantenga en el fuego 2 minutos más, hasta que la zanahoria se reblandezca un poco. Sirva caliente.

CONSEJO

La hojas de *kaffir* emiten un particular aroma a cítricos. Puede encontrarlas frescas en las tiendas de productos asiáticos y secas en algunos supermercados.

SOPA DE VERDURAS CON ALBAHACA

Tiempo de cocción:
40 min

Para 4 personas

5 tomates
1 pimiento
1 calabacín
1 zanahoria
1 patata
1 cebolla
1 puerro
1 puñado de hojas de albahaca
1 bote pequeño de judías blancas
2 puñados de pasta grande
aceite de oliva

En una cacerola con un poco de aceite de oliva, rehogue todas las verduras, peladas y cortadas en trozos pequeños, junto con las hojas de albahaca, hasta que se doren. Agregue
1 litro de agua y a continuación las alubias. Finalice la sopa cociendo la pasta.

SOPA DE TOMATE CON HINOJO

Tiempo de cocción:
40 min

Para 6 personas

2 kg de tomates cortados en cuartos

2 hinojos medianos

2 cebollas medianas fileteadas

2 dientes de ajo cortados en cuatro + 2 dientes aplastados

500 ml de caldo de verduras

60 g de mantequilla

Limpie el hinojo y reserve media taza de hojas finas. Pique un tercio de los bulbos y resérvelos. Corte el resto en trozos grandes.

En una cacerola grande, funda las dos terceras partes de la mantequilla y rehogue los trozos de hinojo, el ajo cortado y la cebolla, hasta que esta última esté tierna. Agregue los tomates. Deje que se hagan 30 minutos sin tapar, removiendo de vez en cuando, hasta que estén muy tiernos y se haya evaporado el agua de vegetación.

Tritúrelo para obtener una salsa homogénea. Pásela por el tamiz y colóquela de nuevo en la cacerola.

En una sartén pequeña, caliente el resto de la mantequilla. Rehogue los ajos aplastados junto con el hinojo picado, hasta que este esté tierno y dorado. Añádalo a la cacerola junto con el caldo. Lleve a ebullición.

Prosiga la cocción a fuego suave durante 5 minutos, hasta que la sopa esté caliente. En el momento de servir añada las hojas de hinojo picadas.

¿SABÍA QUE...?

Esta sopa puede conservarse en el congelador al menos 6 meses.

SOPA DE HARINA DE MAÍZ

Tiempo de cocción:
1 h

Para 4 personas

100 g de harina de maíz muy fina

130 g de mantequilla

1 cubito de caldo

500 ml de leche

6 cucharadas de queso parmesano rallado

6 rebanadas de pan de molde

sal

Lleve al fuego una olla con agua y el cubito de caldo. Cuando hierva, incorpore la harina poco a poco removiendo sin parar para evitar que se formen grumos. Deje cocer durante 30 minutos removiendo constantemente, agregue la leche hirviendo y prosiga la cocción durante 15 minutos más.

Unte las rebanadas con una capa gruesa de mantequilla, espolvoree con el queso rallado por encima, corte las rebanadas en cuadrados y tuéstelas al horno.

Si fuera necesario, rectifique la sal de la sopa; añada 50 g de mantequilla y dos cucharadas de parmesano. Coloque las tostadas en la sopera, vierta sobre ellas la sopa y sirva.

GAZPACHO

Tiempo de refrigeración: 3 h

Para 6 personas

- 10 tomates medianos cortados en trozos
- 1 l de zumo de tomate
- 3 cebollas rojas medianas
- 2 dientes de ajo cortados en cuartos
- 2 pepinos pequeños
- 2 pimientos rojos
- 2 cucharadas de vinagre de Jerez
- 1 cucharada de eneldo fresco picado

Corte dos cebollas en trozos y pique muy pequeña la tercera. Corte en trozos un pepino y pique el otro, y haga lo mismo con los pimientos. Reserve las hortalizas que haya picado.

A continuación, triture los tomates, la cebolla, el ajo, el pimiento y el pepino troceados junto con el zumo de tomate y el vinagre. Tape el recipiente y refrigere durante 3 horas en la nevera.

En el momento de servir, distribuya el gazpacho en cuencos y decore con las hortalizas picadas y el eneldo.

CONSEJO

Para hacerlo más sabroso, añada una guindilla picada en el momento de triturar las hortalizas.

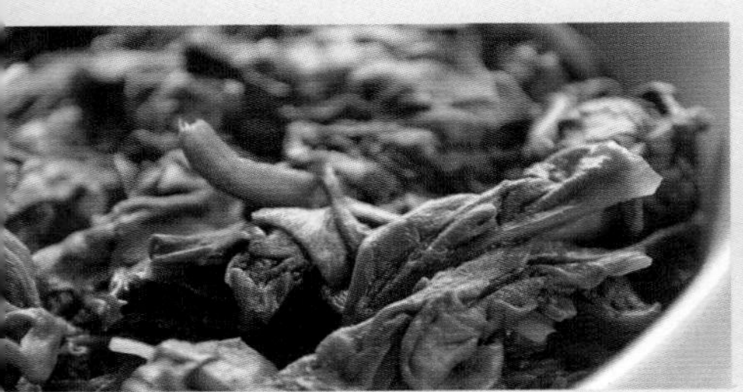

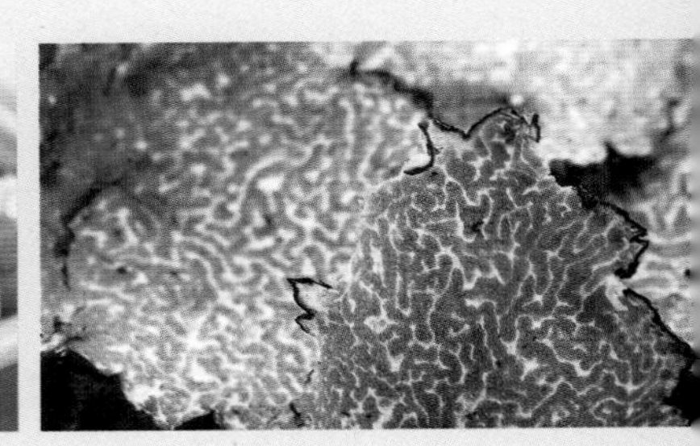

PLATOS

ENSALADA DE ESPINACAS

PARA 4 PERSONAS

hojas de espinaca pequeñas

4 huevos duros

vinagreta

Una vez limpias las espinacas, quite las pencas y corte finamente las hojas. Sazone con la vinagreta y añada los huevos duros.

ENSALADA CAMPESTRE

PARA 4 PERSONAS

hinojo rallado

calabacines con piel rallados

champiñones

limón (zumo)

aceite de oliva

ajo (optativo)

patatas cocidas (optativo)

sal

Mezcle las hortalizas y añada los champiñones en el último momento para que no se ennegrezcan. Eche zumo de limón y aceite de oliva, ajo, si le gusta, y sal.
Puede agregar también patatas cocidas con anterioridad y refrigeradas en la nevera.

ENSALADA HORTELANA

PARA 4 PERSONAS

alcachofas violeta
rábanos
habitas
guisantes
perejil
limón (zumo)
aceite de oliva
sal
pimienta

Una vez limpias las alcachofas, mézclelas con los rábanos cortados en láminas, las habitas desgranadas y los guisantes de primavera. Añada el perejil, la pimienta, la sal, el aceite de oliva y el zumo de limón.

ENSALADA *NIÇOISE*

PARA 4 PERSONAS

hortalizas frescas (apio, diferentes tipos de rábanos: blancos, picantes..., cebollitas...)
judías verdes
huevos duros
mayonesa o vinagreta

Un gran clásico que puede ser un plato vegetariano si se descartan las anchoas del plato original. Es un plato completo: hortalizas crudas recién salidas del huerto, lavadas y presentadas en un recipiente hondo; cada comensal se sirve apio, rábanos, tan ricos en vitaminas y ásperos, y cebollitas. Se sirven aparte los huevos duros, las judías verdes y el aliño, que puede ser una mayonesa ligera o una vinagreta.

ENSALADA DE AGUACATE

PARA 4 PERSONAS

- 2 aguacates maduros
- zumo de 1 limón
- 2 tomates grandes (unos 300 g)
- 2 cebollas
- 4 rábanos
- 1 pepino de 100 g
- 1 lata de maíz dulce
- 8 aceitunas negras sin hueso
- 4 hojas de lechuga
- guindilla
- 80 ml de aceite de oliva virgen extra
- sal

Pele los aguacates, córtelos por la mitad y retire el hueso. Corte cada mitad en cinco partes y rocíelas con abundante zumo de limón para que no se ennegrezcan.

A continuación, lave los tomates y córtelos en dados. Filetee las cebollas y corte los rábanos en láminas de 2 o 3 mm. Pele el pepino y córtelo en pequeños dados.

En una ensaladera, una el maíz, las aceitunas negras, el pepino, los rábanos, las cebollas y los tomates. Aliñe con el resto del zumo de limón, guindilla, sal y aceite, y remueva cuidadosamente.

Presente la ensalada sobre cuatro grandes hojas de lechuga y añada los aguacates en el último momento.

ENSALADA DE REMOLACHA Y RÁBANO BLANCO

Para 4 personas
remolachas cocidas
rábanos picantes
nata líquida
sal

Corte las remolachas en dados. Pele los rábanos picantes y rállelos. Añada un poco de sal y la nata líquida. Remuévalo todo.

ENSALADA DE ZANAHORIAS CON NARANJA

Para 6-8 personas
1 kg de zanahorias
2 puñados de uvas pasas
2 naranjas no tratadas
1 limón no tratado
2 cucharadas de azúcar
4 cucharadas de agua de azahar
algunas hojas de cilantro fresco
sal

Ponga en remojo las uvas pasas en el zumo de las naranjas. Ralle las zanahorias y acomódelas en una ensaladera junto con el zumo de limón. A continuación, incorpore las pasas y el zumo de naranja, el azúcar, el agua de azahar y la sal. Espolvoree el cilantro picado por encima. Sírvala fría.

ENSALADA DE CHAMPIÑONES

PARA 4 PERSONAS

champiñones
soja germinada
bulgur cocido y frío
trigo germinado
aceite
limón (zumo)
perifollo
estragón

Combine todos los ingredientes para crear una pequeña ensalada que debe servirse muy fresca.

ENSALADA JAPONESA

TIEMPO DE COCCIÓN: 4 MIN

PARA 4 PERSONAS

300 g de col japonesa
4 setas *shiitake*
80 g de brotes de soja
200 g de tofu
20 g de semillas de sésamo
50 g de aceite de maíz

Lave, pele y corte la col en trozos pequeños. Corte el tofu en dados pequeños y resérvelos aparte.

En un *wok*, ponga el aceite a calentar y, a continuación, introduzca la col y los brotes de soja antes de añadir los *shiitake*, que habrá puesto en remojo; deje que se hagan durante 3 minutos.

Agregue las semillas de sésamo y después el tofu, y deje que se integren los sabores durante 1 minuto antes de servir.

ENSALADA DE BROTES DE SOJA Y ALGA *DULSE*

Tiempo de cocción:
5 min

Para 4 personas

100 g de brotes de soja

50 g de berros

10 g de zanahoria

100 g de alga *dulse*

50 g de nueces tostadas y picadas

Para la salsa

200 g de zumo de mandarina

50 g de salsa de soja

sal

En una cazuela al fuego, ponga a hervir 2 litros de agua y sumerja los brotes de soja; cuando vuelva a hervir, escúrralos y extiéndalos sobre un paño de cocina.

Limpie la zanahoria, lávela y rállela. Lave el alga, déjela en remojo durante 5 minutos y, transcurrido este tiempo, escúrrala y córtela finamente.

Finalmente, combine en una ensaladera los brotes de soja, la zanahoria, el alga, los berros limpios y las nueces junto los ingredientes de la salsa, previamente mezclados. Sirva.

COL CHINA MARINADA

Tiempo de cocción:
2 min

Para 4 personas

500 g de col china
10 g de jengibre
1 guindilla mediana
1 cucharada de pimiento japonés
1 cucharada y media de vinagre
3 cucharadas de azúcar
1 cucharada de aceite de sésamo
2 cucharaditas de aceite de soja
sal

Lave y corte la col china en láminas de 10 cm, y póngala en remojo en agua salada durante unos minutos.

Mientras, corte el jengibre en juliana y pique la guindilla; añada ambos productos a la col escurrida y riegue con aceite de sésamo. Caliente el aceite de soja en un *wok* y dore la col durante 2 minutos, añada el azúcar y el vinagre y espolvoree el pimiento japonés por encima. Sirva.

BROTES DE SOJA SALTEADOS

Tiempo de cocción:
3 min

Para 4 personas

200 g de brotes de soja

50 g de col japonesa

1 zanahoria

40 g de salsa de soja

50 g de aceite de soja

Lave la col y pele la zanahoria. Corte la col en láminas y la zanahoria en bastoncillos. A continuación, rehóguelas en el *wok* con aceite, añada los brotes de soja y deje que los aromas se mezclen durante unos minutos. Aliñe con salsa de soja y apague el fuego inmediatamente después. Sirva.

TOFU PICANTE

TIEMPO DE COCCIÓN:
3 MIN

PARA 4 PERSONAS

400 g de tofu

1/2 cucharadita de jengibre picado

1 cucharada de aceite de soja

1/2 guindilla

sal

pimienta recién molida

Mezcle el jengibre y el aceite en un bol y salpimiente en abundancia. A continuación, rehogue en aceite la guindilla y añádala a la mezcla anterior. Deje cocer durante 1 minuto a fuego suave. Después, corte el tofu en cubos y vierta por encima la salsa templada. Sirva.

TOFU CON SALSA DE *MISO*

TIEMPO DE COCCIÓN:
4 MIN

PARA 4 PERSONAS

400 g de tofu
5 g de alga *kombu*

PARA LA SALSA

40 g de *miso* negro
40 g de azúcar
20 g de *mirin*
20 g de agua

Corte el tofu en cuatro partes. Introduzca el alga en una cacerola con 800 ml de agua y llévela a ebullición; añada entonces el tofu y deje cocer 3 minutos a fuego suave.

Mientras, prepare la salsa: reúna los ingredientes en una cazuela, lleve a ebullición y deje cocer durante 1 minuto, removiendo continuamente. Retire del fuego y deje enfriar. Finalmente, disponga el tofu en platos individuales y aliñe con la salsa antes de servir.

CONSEJO

La salsa puede emplearse también con hortalizas cocidas.

ENSALADA DE *DAIKON* Y ZANAHORIAS

PARA 4 PERSONAS

300 g de daikon

200 g de zanahorias

125 g de vinagre de arroz

25 g de azúcar

5 g de salsa de soja

8 g de sal

Prepare la salsa mezclando el vinagre, el azúcar, la salsa de soja y la mitad de la sal; reserve.

A continuación, lave cuidadosamente las hortalizas y córtelas por separado en juliana. Agregue un pellizco de sal sobre el *daikon* y deje reposar durante 10 minutos; después, elimine el exceso de líquido con papel absorbente.

Una en un mismo recipiente el *daikon* y la zanahoria, y alíñelos con la salsa. Sirva.

CONSEJO

Esta refrescante ensalada es excelente como entrante o como guarnición de una fritura de hortalizas.

CARPACCIO DE REMOLACHA

TIEMPO DE COCCIÓN:
4 MIN

PARA 4 PERSONAS

2 remolachas cocidas del mismo tamaño

4 huevos grandes

100 g de canónigos

2 cucharadas de aceite de oliva virgen extra afrutado

1 cucharada de aceite de nueces

1 cucharadita de miel de montaña

1 cucharada de zumo de limón

sal

Cueza los huevos durante 4 minutos en agua hirviendo. Una vez fríos, pélelos y aplástelos con un tenedor. Resérvelos.

A continuación, lave y escurra bien los canónigos. Mezcle el zumo de limón con la miel. Agregue los dos tipos de aceite y un poco de sal. Aliñe los canónigos removiéndolos para que se impregnen bien. Resérvelos.

Corte las remolachas en láminas finas y dispóngalas sobre platos llanos individuales. Coloque los canónigos en el centro y espolvoree con el huevo por encima. Sirva frío.

COL CHINA SALTEADA

Tiempo de cocción:
5 min

Para 4 personas

500 g de col china

2 cucharadas y media de brotes de soja

1 puerro

1 cucharadita de fécula

1 cucharada de aceite de soja

sal

Separe las hojas de col y córtelas en juliana. Corte también el puerro en trozos pequeños y dórelos con un poco de aceite; agregue la col y, por último, los brotes de soja. Rehogue durante 4 o 5 minutos. En el momento de servir, mezcle cuidadosamente las verduras con la fécula y rectifique la sal.

HUEVOS A LA MEXICANA

Tiempo de cocción:
5 min

Para 4 personas

8 huevos

1 cebolla pequeña

4 tomates medianos

1 guindilla

cilantro fresco

80 ml de aceite de oliva virgen extra

picatostes (para servir)

sal

Pique la cebolla. Lave y corte los tomates en dados. Muela la guindilla y pique el cilantro. A continuación, rehogue la cebolla con el aceite a fuego suave. Agregue los tomates, rectifique la sal y añada las especias. Deje en el fuego durante 2 o 3 minutos. Casque los huevos sobre la sartén y remuévalos ligeramente sin amalgamar demasiado los ingredientes. Sirva acompañado de picatostes.

PEPINO CON SÉSAMO

TIEMPO DE COCCIÓN:
5 MIN
TIEMPO DE PURGA:
10 MIN

PARA 4 PERSONAS

1 pepino
1 pera
20 g de semillas de sésamo
15 g de salsa de soja
4 g de azúcar
5 g de sal

Tueste las semillas de sésamo en una sartén antiadherente, removiendo con regularidad. Reserve la cuarta parte y maje el resto en un mortero, añadiendo después la salsa de soja y el azúcar.

Pele la pera, retire el corazón y córtela en láminas. Lave el pepino, pélelo, córtelo por la mitad en sentido longitudinal, quite las semillas y córtelo en láminas finas. Coloque las láminas de pepino en un plato junto con un poco de sal, deje purgar durante 10 minutos y seque bien después.

Para finalizar, mezcle el pepino con la pera, aliñe con la salsa preparada, acomode en una bandeja de servicio y decore con el sésamo tostado que había reservado.

ENSALADA INDIA DE ZANAHORIAS

TIEMPO DE COCCIÓN: 5 MIN

PARA 4 PERSONAS

4 zanahorias grandes

1 pizca de asafétida

10 granos de mostaza amarilla

1 pizca de pimentón picante

1 pizca de cúrcuma

aceite de oliva virgen extra

zumo de 1 limón

100 ml de *dahi*

sal

pimienta

Pele, lave y ralle de forma gruesa las zanahorias. Rehogue el asafétida, los granos de mostaza y las especias en polvo con un poco de aceite. Aliñe las zanahorias con este aceite especiado y agregue el zumo de limón. Rectifique la sal. Deje reposar durante 1 hora. Cubra con *dahi* y sirva frío

CONSEJO

Sin el *dahi*, la ensalada de zanahorias puede conservarse hasta tres días en el frigorífico.

SALTEADO DE HORTALIZAS CON TOFU

Tiempo de cocción: 5 min
Tiempo de remojo: 30 min

Para 4 personas

- 200 g de tofu
- 100 g de zanahorias cortadas en dados pequeños
- 50 g de guisantes
- 10 g de setas *shiitake* secas
- 40 ml de aceite de maíz
- 30 g de azúcar
- 10 ml de salsa de soja
- alga *nori* (para decorar)
- 5 g de sal

Ponga en remojo las setas durante 30 minutos en agua fría, escúrralas y séquelas antes de picarlas toscamente. Sumerja el tofu durante 1 minuto en agua hirviendo, escúrralo y desmenúcelo.

A continuación, vierta el aceite en el *wok*, llévelo al fuego y rehogue las setas, las zanahorias y los guisantes. Espere 2 minutos para que se integren los sabores y añada el resto de los ingredientes, menos el tofu; prosiga la cocción otros 2 minutos. Agregue el tofu y deje que se impregne con los aromas antes de servir. Decore con alga *nori* cortada en juliana.

COL JAPONESA CON SALSA *MISO*

Tiempo de cocción:
5 min

Para 4 personas

200 g de col japonesa

Para la salsa

60 ml de agua

50 g de *miso*

30 g de azúcar

30 g de sésamo tostado

20 g de *mirin*

Separe las hojas de col y lávelas; córtelas en tiras muy finas. Coloque en un cazo todos los ingredientes de la salsa y cueza a fuego suave, removiendo sin parar hasta que el azúcar se haya disuelto; retírela del fuego y déjela enfriar. Distribuya la col en platos individuales y aliñe con la salsa. Sirva.

FIDEOS JAPONESES

Tiempo de cocción:
6 min

Para 4 personas

500 g de fideos *soba*

400 g de caldo *nibandashi*

150 ml de salsa de soja

150 g de *mirin*

1 puerro picado fino

5 g de *wasabi*

alga *nori* (para decorar)

Coloque el *mirin* en un cazo pequeño y cueza durante 1 minuto. Agregue el caldo y deje cocer otro minuto. Ponga a hervir agua en una cacerola grande y cueza los fideos *soba* durante 4 minutos removiendo continuamente. Transcurrido este tiempo, escúrralos y enfríelos bajo el chorro de agua fría. Distribuya los fideos en cuatro boles, que contendrán el caldo, y sírvalos acompañados de salsa de soja, de *wasabi* y de un poco de puerro. Decore con tiras de alga *nori* tostadas.

HUEVOS *COCOTTE* CON TOMATE Y ALBAHACA

TIEMPO DE COCCIÓN: 6 MIN

PARA 4 PERSONAS

4 huevos grandes

2 tomates de pulpa firme

4 tallitos de albahaca fresca

4 cucharadas de nata líquida densa

15 g de mantequilla semisalada

sal

Utilice cuatro cuencos y un bandeja honda que puedan ir al horno.

Lave los tomates y quite las semillas. Corte la pulpa en dados pequeños.

Caliente el horno a 200 °C. Unte con mantequilla los cuencos. Cubra el fondo con los dados de tomate. Vierta sobre ellos la nata líquida y casque un huevo en cada cuenco. Sale.

Coloque los cuencos en la bandeja y vierta agua caliente sobre esta hasta media altura. Lleve al horno y hágalos al baño María durante 6 minutos.

Finalizada la cocción, retire los cuencos y séquelos. Coloque una ramita de albahaca en cada uno antes de servir.

KONNYAKU CON CEBOLLETAS

TIEMPO DE COCCIÓN:
7-8 MIN

PARA 4 PERSONAS

500 g de konnyaku (peso escurrido)

2 cucharadas de cebolleta en juliana (la parte verde)

2 cucharadas de salsa de soja

2 cucharadas de semillas de sésamo tostadas

En una cacerola grande, lleve una gran cantidad de agua a ebullición, sumerja el *konnyaku* y sáquelo cuando el agua comience de nuevo a hervir. Deje que se enfríe o no, dependiendo de si quiere utilizarlo como entrante o como plato principal. Mézclelo con las cebolletas en juliana y la salsa de soja, y espolvoree las semillas de sésamo tostadas por encima.

ARROZ SALTEADO CON HORTALIZAS

TIEMPO DE COCCIÓN:
12 MIN

PARA 4 PERSONAS

300 g de arroz precocido

150 g de champiñones

3 tallos de apio

1/2 cebolla

1 zanahoria cortada en juliana

1 calabacín cortado en juliana

1 cucharada de aceite de soja

1 cucharada de salsa de soja

Filetee la cebolla, los tallos de apio y los champiñones. En una sartén al fuego con el aceite, dore la cebolla; añada el arroz junto con las verduras y rehogue durante 8 minutos removiendo sin cesar. Sazone con la salsa de soja y sirva.

COSTILLAS DE SEITÁN

Tiempo de cocción:
8 min

Para 4 personas

500 g de seitán natural

1 huevo

90 g de harina

100 g de pan rallado

500 g de aceite de maíz

Para la salsa

60 g de tajín

30 g de azúcar

30 g de salsa de soja

40 ml de agua

Escurra y seque el seitán; mezcle todos los ingredientes necesarios para la salsa. Corte el seitán en lonchas de 2 cm de grueso. Páselas primero por harina, después por el huevo ligeramente batido y por último por el pan rallado. En una sartén al fuego con aceite, fría el seitán hasta que se dore. Escúrralo sobre papel absorbente, córtelo en tiras y sírvalo en platos cubierto con la salsa.

CONSEJO

Este plato puede acompañarse de col roja o lombarda cortada en tiras finas.

ENSALADA DE JUDÍAS VERDES

Tiempo de cocción:
10 min

Para 4 personas

800 g de judías verdes
2 dientes de ajo
aceite
vinagre
sal

Cueza las judías verdes en agua salada y escúrralas. A continuación, colóquelas en una ensaladera y alíñelas con aceite, vinagre y dos dientes de ajo picados finamente. Deje reposar durante 1 hora y sirva.

ENSALADA DE ESPÁRRAGOS

TIEMPO DE COCCIÓN:
10 MIN

PARA 4 PERSONAS

1 kg de espárragos
60 ml de aceite
1 cucharada de vinagre
1 cebolla
perejil
hojas de menta
sal
pimienta

Cueza los espárragos, escúrralos y acomódelos sobre un plato. En un bol, prepare una vinagreta batiendo con un tenedor el aceite, el vinagre, la sal y la pimienta. Agregue la cebolla picada, el perejil y algunas hojas de menta. Remueva y cubra los espárragos con esta salsa.

ENSALADA VARIADA

TIEMPO DE COCCIÓN:
10 MIN

PARA 4 PERSONAS

1 pepino

1 manzana

10 hojas de col rizada

1 zanahoria

2 rodajas de piña natural

2 tomates

100 g de queso *ricotta* salado

zumo de 1 limón

1 pizca de azúcar

12 nueces peladas (para decorar)

sal

Corte las hojas de col y la zanahoria en trozos pequeños, y cuézalas durante 10 minutos en agua hirviendo ligeramente salada. Corte en dados las frutas, el pepino, los tomates y el queso; mezcle bien los ingredientes. Aliñe con el zumo de limón, sal y una pizca de azúcar. Distribuya en platos colocando las verduras y las frutas crudas en el centro y las cocidas alrededor. Sirva la ensalada fría, decorada con las nueces.

BULGUR CON ACEITUNAS

TIEMPO DE COCCIÓN:
10 MIN

PARA 4 PERSONAS

12 cucharadas de bulgur

2 zanahorias

1 puñado de aceitunas negras

1 tallo de albahaca

1 diente de ajo

algunos tallitos de perejil

queso parmesano

aceite

sal

Cueza el *bulgur* en 1 litro de agua salada junto con las zanahorias cortadas en rodajas finas. Una vez cocido, añada las aceitunas negras, las hojas de albahaca, el perejil y el ajo picados. Mezcle todos los ingredientes y alíñelos con una cucharada de aceite. Coloque sobre una bandeja de servicio y espolvoree queso parmesano por encima.

CONSEJO

Cualquier sémola de trigo, cuscús o pasta pequeña puede emplearse para sustituir el *bulgur*.

ENSALADA DE ARROZ

Tiempo de cocción:
10 min

Para 4 personas

300 g de arroz largo

verduras variadas, a su gusto

trigo, cebada, maíz...

aceitunas negras

alcaparras

El arroz se presta a múltiples combinaciones. Cuézalo en agua hirviendo y enfríelo a continuación bajo el chorro de agua fría. Añada las verduras u hortalizas que desee. Agregue otros cereales, sin olvidar las aceitunas negras, que aportan un innegable perfume y atractivo, y, naturalmente, unas alcaparras.

CONSEJO

Deje que su creatividad se manifieste en la preparación de estas ensaladas.

DADOS DE TOFU

TIEMPO DE COCCIÓN:
10 MIN

INGREDIENTES

tofu
aceite
cebollas fileteadas
sal

Corte el tofu en dados y saltéelos con aceite. Retírelos de la sartén. Rehogue a continuación las cebollas fileteadas y deje que se doren. Incorpore de nuevo el tofu y sírvalo, salando ligeramente.

CONSEJO

Esta es la receta más sencilla para un occidental vegetariano.

HUEVOS AL ESTILO INDIO

TIEMPO DE COCCIÓN:
10 MIN

PARA 4 PERSONAS

8 huevos

1 pizca de bicarbonato sódico

1 cebolla

10 g de *ghee*

1 pizca de pimentón picante

1 g de curri

1 guindilla verde muy picante

1 cm de jengibre fresco pelado

1 tomate

hojas de cilantro (para decorar)

sal

Bata los huevos. Añada el bicarbonato y un poco de sal. En una sartén al fuego con el *ghee*, rehogue la cebolla fileteada. Agregue las especias, la guindilla troceada y el jengibre rallado. Corte el tomate en dados y añádalo a la preparación. Prosiga la cocción para que se evapore el agua de vegetación. Incorpore los huevos y remueva continuamente con una espátula de madera. Los huevos deben adquirir un aspecto granuloso, como el de los huevos revueltos. Sirva caliente, decorado con unas hojas de cilantro.

JUDÍAS VERDES CON TOFU

TIEMPO DE COCCIÓN: 4 MIN

PARA 4 PERSONAS

400 g de judías verdes cocidas

100 g de tofu

1 cucharada de aceite de sésamo

2 cucharadas y media de aceite de maíz

8 g de fécula de patata

1 pizca de pimienta de Cayena

sal

En primer lugar, prepare la salsa. Vierta en un bol los aceites de sésamo y de maíz, la fécula, la pimienta de Cayena y la sal. Bata todos los ingredientes y hágalos al baño María durante 3 o 4 minutos.

A continuación, coloque en una bandeja las judías verdes cocidas y el tofu cortado en trozos pequeños, y riéguelos con la salsa. Sirva caliente o templado.

HUEVOS CON MANTEQUILLA NEGRA

TIEMPO DE COCCIÓN:
10 MIN

PARA 4 PERSONAS

8 huevos
80 g de mantequilla
vinagre
alcaparras
sal

Fría los huevos en la mantequilla muy caliente, sale y moje con una cucharada de vinagre, a la que habrá añadido 5 o 6 alcaparras. Deje al fuego durante algunos minutos y sirva de inmediato.

CONSEJO

Acompañe este plato con puré de patatas o con espinacas con mantequilla.

HUEVOS CON TRUFA

Tiempo de cocción:
10 min

Para 4 personas

8 huevos
mantequilla
trufa
sal
pimienta

En una sartén, caliente la mantequilla, añada los huevos sin pinchar las yemas, salpimiente y deje que se hagan a fuego moderado. Cuando la clara cuaje, retire los huevos del fuego y aromatícelos con la trufa.

HUEVOS REVUELTOS CON TOMATE

TIEMPO DE COCCIÓN: 10 MIN

PARA 4 PERSONAS

8 huevos

500 g de tomates frescos cortados en dados o en conserva

125 ml de nata líquida

rebanadas de pan (para servir, optativo)

aceite

mantequilla

sal

pimienta

En una sartén, caliente ligeramente la mantequilla y agregue los tomates salpimentados. Deje que se hagan un poco. Bata los huevos, añada la nata, salpimiente e incorpórelos a los tomates. Prosiga la cocción a fuego suave hasta que los huevos cuajen. Retire del fuego y sirva de inmediato acompañando el plato con rebanadas de pan frito, si lo desea.

TORTILLA CON HARINA DE GARBANZOS

Tiempo de cocción:
10 min

Para 4 personas

8 huevos

50 ml de *dahi*

150 g de harina de garbanzos

2 pizcas de *garam masala*

1 pizca de pimentón picante

30 g de *ghee*

1 chalota

sal

Bata los huevos y el *dahi*, y añada la harina tamizada, a continuación las especias y una pizca de sal. Funda el *ghee* en una cacerola y dore la chalota fileteada. Vierta los huevos batidos y deje en el fuego hasta que comiencen a cuajar. Doble la tortilla sobre sí misma dos veces y sirva caliente, cortada en triángulos pequeños.

TORTILLA DE CINCO CEREALES

TIEMPO DE COCCIÓN: 10 MIN

PARA 4 PERSONAS

2 huevos

2 cucharadas de una mezcla de «cinco cereales»

leche

1 cucharada de aceite o margarina

perejil picado

sal

pimienta

Cueza en leche dos cucharadas de una mezcla de «cinco cereales».

En un bol, bata los huevos para hacer una tortilla.

Caliente el aceite o la margarina en una sartén. Vierta los huevos como si se tratase de una tortilla normal. Agregue los cereales y doble la tortilla. Salpimiente y decórela con perejil.

SOMEN CON HORTALIZAS

TIEMPO DE COCCIÓN:
10 MIN

PARA 4 PERSONAS

200 g de fideos *somen*

1 calabacín grande

1 zanahoria grande

1/4 de apio-rábano

2 cebolletas

100 g de brotes de *daikon*

4 cucharadas de salsa de soja

4 cucharadas de aceite de cacahuete

sal

Cueza los fideos *somen* en una olla con abundante agua salada. Lave las verduras y córtelas en bastoncillos, si es posible del mismo tamaño.

En una cacerola grande, caliente el aceite, agregue el apio-rábano y la zanahoria, y rehóguelos durante 2 minutos. Incorpore el calabacín y las cebolletas, y prosiga la cocción otros 2 minutos.

Añada los brotes de *daikon*, sale ligeramente y deje que se haga 2 minutos. Por último, agregue los fideos cocidos y la salsa de soja, y rehogue durante 1 minuto. Retire del fuego y sirva.

CONSEJO

Se pueden emplear verduras u hortalizas de temporada siempre que se incorporen a la elaboración teniendo en cuenta sus respectivos tiempos de cocción.

TORTILLAS DE MAÍZ CON QUESO Y SALSA PICANTE

Tiempo de cocción:
12 min

Para 4 personas

200 g de queso fresco

100 g de queso *cheddar*

4 cebolletas

40 ml de aceite de oliva virgen extra

4 tortillas de maíz

200 ml de salsa picante

sal

pimienta

En un cuenco grande, mezcle el queso fresco y 25 g de *cheddar* rallado. Pele y filetee las cebolletas. Añádalas al queso y salpimiente. En una sartén, caliente un poco de aceite y haga a fuego vivo las tortillas por cada lado.

Engrase una bandeja de horno. Unte las tortillas con salsa picante y rellénelas con el queso; después, enróllelas y acomódelas en la bandeja. Cubra con la salsa picante y espolvoree el resto del queso rallado por encima. Hornee durante 10 minutos hasta que el queso se funda, procurando que las tortillas no se sequen demasiado.

CALABACINES FRITOS

Tiempo de cocción:
15 min

Para 4 personas

- 2 calabacines
- 1 pizca de semillas de *nigella*
- 3 pizcas de cúrcuma
- 1 pizca de chile molido
- 100 g de harina de garbanzos
- aceite de sésamo
- *ghee* (para freír)
- sal

Corte los calabacines en bastoncitos.

Mezcle las especias y la harina de garbanzos. Añada el aceite y el agua necesarios para obtener una pasta suave pero densa. Reboce los calabacines en esta pasta y fríalos en el *ghee* fundido hasta que estén dorados y crujientes. Escúrralos sobre papel absorbente para eliminar el exceso de grasa. Sale y sirva muy caliente.

VARIANTE

Se pueden sustituir los calabacines por zanahorias o ramilletes de coliflor.

ENSALADA DE PIMIENTOS ASADOS

Tiempo de cocción:
15 min

Para 4 personas

4 pimientos grandes amarillos, rojos y verdes

aceite

vinagre balsámico

sal

Coloque los pimientos lavados en una bandeja de horno; áselos en el horno muy caliente. Cuando estén templados, retire la piel y las semillas. Corte los pimientos en tiras, acomódelos en un cuenco y alíñelos con aceite, vinagre balsámico y sal.

TABULE VERDE CON QUINOA

Tiempo de cocción:
15 min

Para 4 personas

400 g de quinoa
2 manojos de perejil
2 cebollas rojas
2 tomates
zumo de 1 lima
1 cucharadita de comino
20 hojas de menta (para decorar)
sal gruesa

En primer lugar, cueza la quinoa durante 15 minutos en agua salada hirviendo. Escúrrala y resérvela.

Pele y filetee las cebollas. Pique toscamente el perejil. Corte los tomates en dados. Mezcle todos los ingredientes con la quinoa.

Para finalizar, agregue el zumo de lima junto con el comino. Decore con las hojas de menta.

SUFLÉ DE JUDÍAS VERDES

Tiempo de cocción:
15 min

Para 4 personas

400 g de judías verdes

60 g de mantequilla

3 claras de huevo

queso parmesano rallado

Para la salsa bechamel

50 g de harina

100 g de mantequilla

500 ml de leche

nuez moscada rallada

sal

pimienta blanca recién molida

Cueza las judías verdes, escúrralas y refrésquelas bajo el chorro de agua fría. Mientras tanto, prepare la salsa bechamel: funda la mantequilla en una cacerola; añada la harina, hágala durante 2 minutos removiendo sin cesar y agregue poco a poco la leche; lleve a ebullición removiendo siempre con las varillas; salpimiente y espolvoree con nuez moscada; prosiga la cocción a fuego muy suave durante 5 minutos hasta que se espese; rectifique la sazón si hace falta.

Reduzca a puré las judías verdes y mézclelas con la bechamel, agregando el queso parmesano rallado. Incorpore las claras montadas a punto de nieve. Acomode la preparación en un molde untado con mantequilla y hornee durante 20 minutos a temperatura media. Sirva de inmediato.

PURÉ DE FRIJOLES CON AJO

Tiempo de cocción:
15 min

Para 4 personas

4 dientes de ajo
100 g de frijoles negros cocidos
1 guindilla
20 g de yogur
un poco de aceite
algunas gotas de lima y de tabasco
sal

Unte con aceite la piel de los ajos y áselos 15 minutos en el horno a 200 °C. Pélelos y májelos. Mezcle todos los ingredientes y tritúrelos hasta obtener un puré bastante homogéneo. Consérvelo frío.

CONSEJO

Este puré es ideal para servirlo como aperitivo untado en tostadas.

FRICASÉ DE COLIFLOR

TIEMPO DE COCCIÓN:
15 MIN

PARA 4 PERSONAS

1 coliflor

1 yema de huevo

zumo de 1 limón

50 g de mantequilla

4 cucharadas de caldo

sal

Cueza la coliflor entera. Caliente la mantequilla en una sartén. Mientras tanto, bata la yema con el zumo de limón y el caldo; rectifique la sal. Vierta la preparación en la sartén con la mantequilla y cubra a continuación la coliflor con esta salsa. Sirva.

CROQUETAS DE ZANAHORIA

TIEMPO DE COCCIÓN: 15 MIN

PARA 4 PERSONAS

- 400 g de zanahorias
- 120 g de harina de garbanzos
- 3 g de *garam masala*
- *ghee*
- 5 g de levadura química
- 30 g de nuez de coco seca
- 1 chile muy picante
- aceite de sésamo
- sal

Pele y ralle las zanahorias. Rehogue el *garam masala* con el *ghee*.

Mezcle las zanahorias con la harina, la levadura, la nuez de coco, el chile despepitado y las especias rehogadas con el *ghee*; agregue el agua necesaria para obtener una pasta blanda pero compacta. Divídala en bolitas del tamaño de una nuez. A continuación, fríalas en aceite de sésamo muy caliente. Escurra las croquetas sobre papel absorbente, sálelas y sírvalas calientes.

CONSEJO

Puede preparar las croquetas con antelación y recalentarlas en el horno.

NABOS EN SALSA

Tiempo de cocción:
18 min

Para 4 personas

700 g de nabos

4 cucharadas de aceite de sésamo

2 cucharaditas de azúcar

3 cucharadas de salsa de soja

sal

Pele, lave y corte los nabos en rodajas.

Caliente el aceite en un *wok* y rehogue los nabos durante 1 o 2 minutos, reduzca el fuego, tape y deje que se hagan unos 5 minutos, removiendo de manera regular. Agregue el azúcar y la salsa de soja, tape de nuevo y prosiga la cocción otros 10 minutos. Sale antes de servir.

VARIANTE

Puede sustituir los nabos por *daikon* o incluso por patatas.

CROQUETAS DE QUESO *RICOTTA*

Tiempo de cocción:
20 min

Para 4 personas

300 g de queso *ricotta*

100 g de queso parmesano rallado

200 g de miga de pan

100 g de pan rallado

1 huevo

1 diente de ajo

1 guindilla

5 g de cilantro fresco (o de perejil)

200 o 300 ml de salsa de tomate

aceite

sal

En un cuenco, mezcle el queso *ricotta*, el huevo, el parmesano, la miga de pan, el ajo, la guindilla y el cilantro picados y la sal. Amase y forme bolitas de unos 50 g; aplástelas ligeramente, rebócelas con pan rallado y refrigérelas en la nevera.

Vierta la salsa de tomate en una cacerola, añada 500 ml de agua y llévela a ebullición; deje cocer a fuego lento durante 5 minutos.

Dore las bolitas a fuego vivo con un poco de aceite en una sartén antiadherente. Sale. Incorpore las croquetas a la salsa y deje cocer durante 10 minutos. Sírvalas calientes, acompañadas de arroz.

ENTREMESES VEGETARIANOS

TIEMPO DE PURGA: 2-3 H

TIEMPO DE COCCIÓN: 20 MIN

PARA 4 PERSONAS

1 berenjena

1/2 pimiento rojo

2 calabacines pequeños

60 ml de aceite de oliva virgen extra

30 aceitunas

300 g de tomates en rama

1 guindilla

sal

Limpie y corte en dados todas las hortalizas excepto los tomates. Espolvoree con sal las berenjenas para que pierdan su amargor y deje que purguen durante 2-3 horas. Escalde el pimiento algunos minutos y pique los tomates.

Rehogue por separado y rápidamente todas las hortalizas en una sartén antiadherente con un poco de aceite.

Mezcle todos los ingredientes junto con las aceitunas y la guindilla. Rectifique la sal y deje en el fuego 5 minutos. Sirva caliente o frío.

PURÉ DE GARBANZOS

TIEMPO DE REMOJO:
1 NOCHE

TIEMPO DE COCCIÓN:
20 MIN

PARA 4 PERSONAS

400 g de garbanzos

250 ml de aceite

1 limón

perejil

bicarbonato sódico

Ponga en remojo los garbanzos la noche anterior.

Cuézalos en abundante agua, a la que habrá añadido bicarbonato sódico (0,5 g/l de agua). Escurra los garbanzos, redúzcalos a puré y trabájelo con una cuchara de madera agregando aceite y zumo de limón; una vez que el puré resulte ligero y aumente de volumen, añada el perejil picado, mézclelo todo y sirva.

PASTA CON NUECES

TIEMPO DE COCCIÓN:
20 MIN

PARA 4 PERSONAS

400 g de pasta

50 g de miga de pan

50 g de perejil

50 g de mantequilla

50 g de almendras peladas

20 g de nueces peladas

leche

2 dientes de ajo

aceite

4 cucharadas de queso parmesano rallado

1 pizca de sal

En un mortero, maje las nueces, las almendras y la miga de pan mojada en leche, hasta obtener un puré. Lave el perejil y píquelo fino junto con el ajo.

En una cacerola con 100 ml de aceite, añada el perejil y el ajo y deje que se dore durante unos instantes. Cueza la pasta en agua salada, escúrrala y acomódela en la sopera; agregue el perejil y el ajo dorados, además de la salsa de nueces, y aliñe todo con mantequilla y queso parmesano. Remueva y sirva bien caliente.

ARROZ CON ALGAS AL VAPOR

TIEMPO DE COCCIÓN:
20 MIN

PARA 4 PERSONAS

450 g de arroz
650 ml de agua
10 g de alga *kombu*
30 ml de sake
8 g de sal

Lave el arroz cambiando tres veces el agua y deje escurrir durante una media hora. A continuación, colóquelo en una cacerola con agua, el alga *kombu*, el sake y la sal. Lleve a ebullición, deje cocer 1 minuto a fuego vivo, reduzca la llama y prosiga la cocción durante 17 minutos. Apague el fuego y deje reposar, tapado, 10 minutos. Remueva el arroz con una cuchara de madera antes de servirlo en cuatro boles individuales.

CONSEJO

Puede decorarse con algunas semillas de sésamo.

ARROZ CON CURRI

Tiempo de cocción:
20 min

Para 4 personas

400 g de arroz
1 cebolla
2 cucharadas de curri
mantequilla
queso parmesano rallado
brandy
1 cubito de caldo
sal
pimienta

En una sartén al fuego con mantequilla, dore la cebolla fileteada. Vierta el arroz y remueva; añada la sal, la pimienta y el curri, y riéguelo todo con *brandy*; cubra con agua caliente en la que habrá disuelto el cubito de caldo y deje cocer el arroz. Retire del fuego cuando los granos todavía estén enteros, sazone con mantequilla y queso parmesano rallado, remueva y sirva.

CARDOS GRATINADOS

Tiempo de cocción:
50 min

Para
4-6 personas

1,2 kg de cardos

30 g de mantequilla

queso gruyer rallado

sal

Para la salsa bechamel

50 g de harina

100 g de mantequilla

500 ml de leche

nuez moscada rallada

sal

pimienta blanca recién molida

Lave los cardos y cuézalos en agua salada; escúrralos y dórelos con la mantequilla. Prepare la salsa bechamel: funda la mantequilla en una cacerola; agregue la harina, rehogue durante 2 minutos removiendo y vierta la leche poco a poco; lleve a ebullición removiendo continuamente con unas varillas; salpimiente y espolvoree nuez moscada por encima; deje a fuego muy suave durante 5 minutos, hasta que se espese; rectifique la sazón si hiciera falta.

Mezcle la salsa con los cardos. Acomode en un molde untado con mantequilla, espolvoree queso gruyer rallado por encima y hornee durante 30 minutos.

ESPAGUETIS DE ARROZ CON COCO Y PISTACHOS

Tiempo de cocción:
20 min

Para 4 personas

250 g de espaguetis de arroz

1 zanahoria

1/2 puerro

200 g de pulpa de coco fresca

100 g de pistachos tostados

40 g de *ghee*

2 pizcas de *garam masala*

sal

pimienta

Limpie las verduras y córtelas en juliana. A continuación, corte el coco en dados y triture los pistachos.

En un *wok* al fuego, funda el *ghee* junto con el *garam masala* y rehogue las verduras durante 5 minutos. Añada 100 ml de agua y cueza, tapado, 5 minutos más. Agregue la pulpa de coco y los pistachos, y deje cocer 2 minutos sin dejar de remover.

Cueza durante 5 minutos los espaguetis en agua salada hirviendo, escúrralos y añada a las verduras del *wok*. Finalmente, saltéelos durante 5 minutos. Sazone y sirva.

ARROZ AL ESTILO MEXICANO

TIEMPO DE COCCIÓN: 30 MIN

PARA 4 PERSONAS

250 g de tomates cereza

1 diente de ajo

1 guindilla

cilantro fresco

comino

400 ml de caldo de verduras

1 cebolla

80 ml de aceite de oliva virgen extra

250 g de arroz precocido al vapor

sal

Elimine la piel y corte en trozos pequeños los tomates, el ajo y la guindilla; pique el cilantro y el comino. Triture estos ingredientes con un poco de caldo y sal.

Pele y pique la cebolla, y blanquéela en aceite. Incorpore el arroz y deje que tome color durante 1 minuto a fuego vivo. A continuación, añada las hortalizas trituradas y vierta el resto del caldo. Lleve a ebullición, tape y deje cocer entre 15 y 20 minutos. Transcurrido este tiempo, destape y enfríelo rápidamente removiéndolo con un tenedor para que el arroz quede suelto. Finalice el plato llevándolo al horno o salteándolo en una sartén antiadherente con un poco de aceite.

ZANAHORIAS AL ESTILO ORIENTAL

TIEMPO DE COCCIÓN: 40 MIN

PARA 4 PERSONAS

800 g de zanahorias

2 cucharadas de uvas pasas

50 g de mantequilla

4 cucharadas de caldo de verduras

4 cucharadas de nata

sal

Limpie las zanahorias y deje que cuezan en agua. Escúrralas, córtelas en láminas y acomódelas en una sartén. A continuación, añada la mantequilla, las pasas, el caldo y un poco de sal. Deje cocer a fuego suave durante 30 minutos, y nape con la nata en el momento de servir.

ESTOFADO DE ESPINACAS

Tiempo de cocción:
20 min

Para 4 personas

1 kg de espinacas frescas

1 cebolla

30 g de ghee

1 pizca de garam masala

1 cm de jengibre fresco sin piel

1 diente de ajo sin piel

10 semillas de hinojo

30 g de piñones

sal

Lave las espinacas y pique la cebolla. En una cacerola al fuego, funda el *ghee* junto con el *garam masala*, el jengibre rallado, el ajo y la cebolla. Retire el ajo, añada las espinacas y las semillas de hinojo, y saltee durante 2 minutos. Vierta 200 ml de agua y prosiga la cocción, tapado, durante 15 minutos. Finalmente, retire la tapadera y deje que el guiso reduzca, añada los piñones y rectifique la sal. Sirva caliente.

PUERROS CON NATA

Tiempo de cocción:
20 min

Para 4 personas

6 puerros

3/4 l de caldo

1 *brick* pequeño de nata

Limpie los puerros y reserve solo la parte blanca. A continuación, córtelos por la mitad y acomódelos en una cazuela, cúbralos con el caldo y deje que cuezan suavemente; un poco antes de finalizar la cocción, añada la nata. Cuando los puerros la hayan absorbido, sírvalos bien calientes.

BURRITOS DE HORTALIZAS

Tiempo de cocción:
20 min

Para 4 personas

1 cebolla pequeña

1 calabacín pequeño

1 pimiento

2 tomates

2 hojas de lechuga

250 g de alubias rojas en conserva

100 g de maíz en conserva

4 tortillas de maíz de 25 cm de diámetro

aceite de oliva virgen extra

sal

pimienta recién molida

Pele la cebolla, córtela en trocitos y dórela en aceite caliente durante unos minutos.

A continuación, corte el calabacín en tiras y el pimiento en láminas. Lave los tomates y córtelos en dados pequeños. Lave la lechuga y córtela en juliana.

En la sartén en la que ha dorado la cebolla, añada el pimiento, el calabacín, los tomates, y las alubias y el maíz escurridos. Salpimiente, y prosiga la cocción durante 10 minutos a fuego suave.

Finalmente, caliente las tortillas en el horno o en una sartén antiadherente para que se ablanden, rellénelas con las verduras, enróllelas y sírvalas calientes.

CONSEJO

Puede acompañar estos burritos con puré de judías (véase «Frijoles refritos», pág. 262) o con guacamole (véase pág. 32).

CRUMBLE DE CALABACINES Y ALBAHACA

TIEMPO DE COCCIÓN:
20-25 MIN

PARA 4 PERSONAS

700 g de calabacines

100 g de queso parmesano

3 chalotas

5 tallos de albahaca fresca

70 g de harina integral

70 g de mantequilla ablandada

2 cucharadas de aceite de oliva virgen

2 pizcas de nuez moscada

sal

pimienta recién molida

Caliente el horno a 200 °C y unte un molde para gratinar.

En primer lugar, lave la albahaca, séquela y córtela toscamente. Pele y pique las chalotas. Lave los calabacines y rállelos con el rallador grueso, o córtelos en láminas finas. Lamine el queso parmesano con ayuda de un pelapatatas.

En una ensaladera, mezcle los calabacines, el queso, la albahaca, la nuez moscada y las chalotas. Salpimiente. Rehogue el conjunto en una sartén al fuego con una cucharada de aceite de oliva. Reserve.

Mezcle en un cuenco la harina, la mantequilla, sal y el resto del aceite. Trabaje el compuesto con la punta de los dedos para obtener una masa parecida a las migas. Espolvoree pimienta por encima.

Para finalizar, extienda la mezcla a base de calabacines sobre una bandeja de horno, cúbrala con las «migas» y llévela al horno durante 20 o 25 minutos. Sirva caliente.

HINOJO ESTOFADO

Tiempo de cocción:
25 min

Para 4 personas

1 kg de hinojo
2 dientes de ajo
aceite
sal

Lave el hinojo y corte cada bulbo en cuartos. En una cacerola al fuego con aceite, dore el ajo y a continuación el hinojo. Transcurridos 10 minutos, añada sal y un poco de agua; prosiga la cocción hasta que esta se evapore.

CROQUETAS DE LENTEJAS Y ARROZ

Tiempo de remojo:
1 noche
Tiempo de cocción:
20 min

Para 4 personas

400 g de arroz basmati

200 g de lentejas rojas

1 pizca de pimentón

aceite para freír

200 g de pan rallado

1 huevo

sal

Deje las lentejas en remojo durante una noche. Cuézalas y tritúrelas con la batidora eléctrica.

Mantenga el arroz en remojo durante 1 hora y tritúrelo después.

A continuación, mezcle las dos masas obtenidas, añada el pimentón y sazone ligeramente con sal. Dé forma a las croquetas y rebócelas con el huevo y el pan rallado.

Finalmente, fríalas en aceite muy caliente. Escúrralas sobre papel absorbente y sírvalas antes de que se enfríen.

CONSEJO

Estas croquetas pueden acompañarse con una salsa de *dahi* y pimiento: corte en láminas un pimiento y rehóguelo en una sartén con 40 g de *ghee*; añada 1 g de *garam masala* y deje en el fuego durante 5 minutos. Bata 400 ml de *dahi* y mézclelo con el pimiento especiado.

PIMIENTOS CON SALSA PICANTE

Tiempo de cocción:
25 min

Para 4 personas

4 pimientos
50 g de alcaparras
50 g de perejil
zumo de 1 limón
aceite
ajo
sal

Pele los pimientos con el pelapatatas, córtelos por la mitad en sentido longitudinal, extraiga las semillas y unte el interior con aceite. A continuación, acomódelos en la parrilla y deje que se asen a fuego suave, dándoles la vuelta. Una vez asados, resérvelos en una bandeja.

Mientras, pique el perejil, el ajo y las alcaparras. Dispóngalo todo en un cuenco y aliñe con el zumo de limón y el aceite; sale y mezcle. Vierta esta salsa sobre los pimientos y deje en reposo durante una hora antes de servir.

PIPERRADA CAMPESINA

TIEMPO DE COCCIÓN:
25 MIN

PARA 4 PERSONAS

1 cebolla

2 calabacines

1 berenjena grande
y 2 pequeñas

2 pimientos

2 patatas

50 g de tomates
pelados

aceite

mantequilla

sal

Filetee la cebolla y dórela con aceite y mantequilla. Lave y corte las hortalizas; después, añádalas a la cebolla, excepto los tomates. Rehogue durante 10 minutos, sale, añada los tomates y prosiga la cocción a fuego suave. Sirva.

PIPERRADA SENCILLA

Para la receta tradicional, utilice únicamente 1 cebolla, 1 kg de pimientos, 500 g de tomates, aceite, mantequilla y sal, y proceda de la misma manera.

ARROZ CON ALMENDRAS, MANZANA Y ANACARDOS

Tiempo de cocción: 25 min

Para 4 personas

- 350 g de arroz basmati
- 1 pellizco de asafétida
- 40 g de *ghee*
- 1 pizca de pimentón
- 100 g de almendras peladas
- 100 g de anacardos tostados
- 1 manzana
- 4 hojas de menta (para decorar)
- sal

Lave el arroz y rehóguelo con 20 g de *ghee* durante 2 minutos junto con el asafétida. Añada 600 ml de agua y lleve a ebullición, sale y agregue el pimentón. Deje cocer durante 20 minutos, incorporando agua si fuese necesario.

En el *ghee* restante, rehogue los frutos secos toscamente picados y la manzana cortada en dados. Finalmente, añada el conjunto al arroz y decore con las hojas de menta. Sirva caliente.

LENTEJAS CON HOJAS DE CURRI

Tiempo de remojo:
1 noche

Tiempo de cocción:
25 min

Para 4 personas

250 g de lentejas
1 chalota
30 g de *ghee*
10 granos de mostaza
2 hojas de curri
1 pizca de cúrcuma
1 pizca de pimentón picante
sal

Lave las lentejas y déjelas en remojo en agua fría durante una noche.

Al día siguiente, corte la chalota y rehóguela con *ghee* junto con la mostaza triturada. Añada las lentejas y, 2 minutos después, 1 litro de agua y las hojas de curri. Lleve a ebullición y deje cocer hasta que las lentejas estén tiernas, espumando de vez en cuando. Sazone con las especias y la sal y retire las hojas de curri. Sirva caliente.

VARIANTE

Puede preparar las judías *mungo* siguiendo la misma receta.

ARROZ CON HORTALIZAS

TIEMPO DE COCCIÓN:
35 MIN

PARA 4 PERSONAS

150 g de arroz
2 calabacines
2 zanahorias
2 tomates
1 puerro
(la parte blanca)
aceite de oliva
sal

Corte en trozos los calabacines, las zanahorias, los tomates y el puerro. Rehóguelo todo con el aceite en una sartén al fuego. A continuación, añada el arroz, remueva y agregue 1 litro de agua. Deje cocer durante 25 minutos. Sale durante el proceso de cocción.

CONSEJO

Prepare siempre el arroz con aceite de oliva, aunque sea un método poco ortodoxo para un cereal asiático...

RISOTTO CON CANELA Y CILANTRO

TIEMPO DE COCCIÓN: 25 MIN

PARA 4 PERSONAS

400 g de arroz basmati

40 g de *ghee*

2 pizcas de canela en polvo

100 g de almendras peladas

30 g de pistachos

2 pizcas de cilantro en polvo

1 guindilla (para decorar; optativo)

sal

Lave el arroz y rehóguelo durante 2 minutos en 20 g de *ghee*. Añada 600 ml de agua y lleve a ebullición, sale y agregue la canela. Transcurridos 20 minutos, añada más agua si es necesario.

Con el *ghee* sobrante, rehogue los frutos secos toscamente picados. Añádalos al arroz y espolvoree el cilantro por encima. Sirva caliente y, si lo desea, decore con la guindilla.

RISOTTO AROMATIZADO

TIEMPO DE COCCIÓN:
25 MIN

PARA 4 PERSONAS

400 g de arroz

50 g de perejil

30 g de mantequilla

1 ramillete de albahaca

1 cebolla

1 tallo de romero

1 diente de ajo

4 cucharadas de aceite

1 l de caldo

4 cucharadas de queso parmesano rallado

1/2 vaso de vino blanco seco

sal

Pique las hojas de romero, el ajo y la cebolla; dispóngalo todo en una cazuela, añada el aceite y dórelo durante unos minutos.

Ponga el arroz en la misma cazuela, añada el vino mientras remueve y agregue un cucharón de caldo caliente. Espere a que se evapore antes de añadir el siguiente. Cueza de esta forma hasta agotar el caldo. Finalmente, agregue el perejil y la albahaca picados, la mantequilla y el queso rallado. Sale. Tape y espere 2 minutos,
y sirva.

BERENJENAS RELLENAS

Tiempo de cocción:
25 min

Para 4 personas

4 berenjenas
200 g de requesón
1 huevo
100 g de queso gruyer rallado
mantequilla
pan rallado

Corte las berenjenas en sentido longitudinal, retire la pulpa y sumérjala en agua fría durante 30 minutos; escúrrala y píquela. Añada el requesón escurrido, el gruyer rallado y el huevo. A continuación, rellene las berenjenas con la mezcla, espolvoree pequeñas láminas de mantequilla y pan rallado por encima, y lleve al horno durante 25 minutos.

ARROZ CON BROTES DE BAMBÚ Y SETAS

TIEMPO DE COCCIÓN:
25 MIN

PARA 4 PERSONAS

450 g de arroz

100 g de brotes de bambú en conserva

50 g de setas *shiitake* frescas

40 g de aceite de maíz

30 g de *mirin*

650 ml de agua

5 g de alga *kombu*

5 g de sal

Lave el arroz tres veces, escúrralo y déjelo en reposo durante 30 minutos antes de cocinarlo.

A continuación, lave el alga y acomódela en una cacerola con el arroz y el agua. Sale. Lleve a ebullición y deje cocer durante 1 minuto a fuego vivo. Después, reduzca la llama, retire el alga, vierta el *mirin* y prosiga la cocción durante 17 minutos.

Durante este tiempo, limpie y corte las setas. En una sartén con aceite muy caliente, saltéelas a fuego vivo durante 5 minutos, agregue el bambú escurrido y deje que se impregne de los aromas durante 1 minuto.

Reparta el arroz en cuatro cuencos, disponga las setas y el bambú por encima y sirva.

VARIANTE

Puede sustituir las setas por guisantes frescos.

KASHA CON CHAMPIÑONES

TIEMPO DE COCCIÓN:
25 MIN

PARA 4 PERSONAS

200 g de champiñones

2 cebollas

4 cucharadas de *kasha* (trigo sarraceno)

1 o 2 clavos de olor

1 brizna de tomillo

aceite

sal

Corte los champiñones y las cebollas en láminas. En una cazuela al fuego con aceite, dórelos junto con el *kasha*. Cubra con agua caliente. Sale y añada el tomillo y los clavos de olor. Deje cocer a fuego lento durante 20 minutos. A medida que el trigo sarraceno se hinche, vaya añadiendo agua. Tenga cuidado de no romper los granos.

TARTA DE BRÉCOL

Tiempo de cocción:
30 min

Para 6 personas

500 g de brécol
250 g de hojaldre
2 huevos
200 ml de nata líquida
40 g de queso parmesano rallado
25 g de mantequilla
sal
pimienta

Caliente el horno a 200 °C. Separe el brécol en ramilletes reservando 2 cm de tallo. Cueza durante 3 minutos en agua hirviendo. Escurra.

A continuación, unte con mantequilla un molde antiadherente para tarta. Esparza el brécol en el fondo.

En un cuenco, bata los huevos, la nata líquida y el queso. Salpimiente y vierta sobre el brécol. Extienda la masa de hojaldre, que debe ser algo mayor que el molde. Pinche la masa con un tenedor y, después, dispóngala sobre el molde, por encima del brécol. Llévela al horno y deje que se haga durante 25 minutos. Finalmente, deje en reposo durante 5 minutos antes de dar la vuelta a la tarta para desmoldarla. Sirva caliente.

COLIFLOR GRATINADA

TIEMPO DE COCCIÓN:
30 MIN

PARA 4 PERSONAS

1 kg de coliflor

mantequilla

sal

PARA LA SALSA BECHAMEL

20 g de harina

500 ml de leche

1 cucharada de queso gruyer rallado

1 cucharada de pan rallado

70 g de mantequilla

sal

pimienta

Cueza la coliflor en agua salada, escúrrala y divídala en ramilletes, los cuales dispondrá en una bandeja para horno untada con mantequilla.

Prepare una salsa bechamel un poco clara: funda la mantequilla en una cacerola; vuelque la harina y rehogue 2 minutos removiendo, mientras vierte poco a poco la leche; lleve a ebullición sin dejar de remover; salpimiente y deje espesar durante 5 minutos a fuego muy suave. A continuación, agregue el gruyer y el pan rallado; extienda esta salsa sobre la coliflor, distribuya unos trocitos de mantequilla y mantenga la bandeja en el horno durante 20 minutos.

ARROZ CARAMELIZADO

Tiempo de cocción:
30 min

Para 4 personas

500 g de arroz basmati

50 g de anacardos

50 g de uvas pasas

30 g de pistachos

50 g de *ghee*

1 chalota

3 pellizcos de *garam masala*

2 pizcas de pimentón picante

25 g de azúcar

2 chiles verdes frescos

1 cm de jengibre fresco pelado y rallado

250 ml de *dahi*

sal

Lave el arroz y séquelo con un paño de cocina.

En una sartén grande al fuego con 20 g de *ghee*, rehogue los anacardos, las pasas y los pistachos durante 2 minutos. Reserve.

En la misma sartén, rehogue la chalota fileteada. Reserve.

Ponga el *ghee* sobrante en una cacerola y dore las especias. Añada el azúcar y deje que tome color. Después, ponga el arroz y los chiles cortados y el jengibre rallado. Rehogue durante 5 minutos, vierta el *dahi* y deje que se haga, tapado, 5 minutos más. Rectifique la sazón.

Llegado este punto, añada 600 ml de agua y prosiga la cocción durante 15 minutos a fuego vivo, hasta que el arroz esté al punto (no debe pegarse).

Finalmente, mezcle el arroz y los frutos secos con la mitad de la chalota. Utilice la otra mitad para decorar el plato. Sirva caliente.

ÑOQUIS AL ESTILO DE POLONIA

TIEMPO DE COCCIÓN:
30 MIN

PARA 4 PERSONAS

500 g de patatas
150 g de queso parmesano rallado
100 g de harina
100 g de mantequilla
1 huevo
salvia
sal
pimienta

Lleve a ebullición las patatas, escúrralas, pélelas y elabore un puré; añada la harina, 80 g de queso parmesano, un poco de sal y de pimienta, el huevo y mézclelo todo.
Dé forma de cilindro a la masa, córtela en trocitos pequeños del mismo tamaño, haga bolitas y cuézalas en agua hirviendo. A medida que las bolitas suban a la superficie, retírelas y acomódelas en una sopera bañadas con mantequilla fundida, salvia picada y el resto del parmesano. Sirva muy calientes.

ACELGAS AL HORNO

TIEMPO DE COCCIÓN: 50 MIN

PARA 4 O 5 PERSONAS

1 kg de acelgas

mantequilla

sal

PARA LA SALSA BECHAMEL

50 g de mantequilla

50 g de harina

250 ml de leche

sal

pimienta

Lave las acelgas y cuézalas en agua salada.

Mientras, prepare una salsa bechamel: funda la mantequilla en una cacerola; vierta la harina y rehogue 2 minutos removiendo, mientras añade la leche poco a poco; lleve a ebullición sin dejar de remover; salpimiente y espese durante 5 minutos a fuego suave.

Mezcle la mitad de la salsa con las acelgas cortadas en trozos. Acomode el conjunto en una bandeja, cubra con la salsa restante, espolvoree mantequilla por encima y lleve al horno durante 30 minutos a fuego medio.

ARROZ CON GUISANTES

TIEMPO DE COCCIÓN:
30 MIN

PARA 4 PERSONAS

1 kg de guisantes frescos

500 g de arroz

80 g de mantequilla

4 cucharadas de queso parmesano

4 cucharadas de aceite

hojas de menta

1 cebolla

sal

En una sartén grande al fuego con aceite, rehogue la cebolla cortada en aros. Transcurridos algunos minutos, añada los guisantes, las hojas de menta y un vaso de agua; sale y deje cocer. De tanto en tanto, remueva y añada agua si es necesario.

Mientras, cueza el arroz con abundante agua salada. Escurra, añada los guisantes con su jugo de cocción, la mantequilla y el parmesano rallado. Remueva, acomode en una bandeja y sirva.

PUERROS GRATINADOS CON TOMATES

Tiempo de cocción:
30 min

Para 4-6 personas

2,5 kg de puerros

10 tomates

3 cucharadas de aceite de oliva

3 dientes de ajo picado

1 pizca de perejil picado

60 g de queso parmesano

mantequilla

1 pizca de sal

pimienta recién molida

Caliente el horno a 210 °C y unte con mantequilla una bandeja para horno.

Pele y lave los puerros cortados en trozos. Deje que cuezan durante 10 minutos con agua salada hirviendo. Después, escúrralos.

A continuación, lave los tomates y pélelos después de haberlos sumergido en agua hirviendo algunos minutos para facilitar la operación. Córtelos en cuartos.

En una cazuela o en una sartén untada con aceite de oliva, acomode los tomates, añada el ajo y el perejil, salpimiente y rehogue durante 5-7 minutos a fuego vivo hasta que los tomates estén confitados.

En la bandeja de horno, disponga al bies los puerros y los tomates. Espolvoree virutas de parmesano por encima y hornee a fuego medio durante 15 minutos. Sirva muy caliente.

MACARRONES CON SETAS

TIEMPO DE COCCIÓN:
30 MIN

PARA 4 PERSONAS

400 g de setas

400 g de macarrones

150 g de nata líquida

120 g de mantequilla

4 cucharadas de queso rallado

50 ml de vino blanco seco

zumo de 1 limón

sal

pimienta

Limpie con cuidado las setas y córtelas en pequeños trozos. Caliente 60 g de mantequilla en una cazuela. Añada las setas, salpimiente y rehogue a fuego moderado regando con vino de vez en cuando. Una vez finalizada la cocción, añada el zumo de limón y remueva.

A continuación, cueza la pasta, escúrrala y viértala en un cuenco caliente; añada la nata líquida, la mantequilla sobrante y el queso rallado; remueva y traslade la pasta a una bandeja de servicio caliente. Cubra con las setas en su salsa y sirva.

TOMATES RELLENOS

Tiempo de purga:
30 min
Tiempo de cocción:
30 min

Para 4 personas

6 tomates maduros

100 g de miga de pan

2 huevos

1 cucharada de perejil picado

1 cucharada de albahaca picada

3 cucharadas de aceite

1/2 cebolla

1 chalota

3 cucharadas de parmesano

leche

sal

pimienta

Lave los tomates, vacíelos, sale el interior y déjelos que eliminen el agua de vegetación durante 30 minutos.

Mientras, mezcle en un cuenco la miga de pan empapada con leche y huevo, el perejil y la albahaca picados, la cebolla y la chalota fileteadas, así como el parmesano rallado. Salpimiente.

Escurra bien los tomates y rellénelos con este preparado.

Finalmente, disponga los tomates rellenos en una bandeja untada con aceite y llévelos al horno durante 30 minutos a temperatura media.

CONSEJO

Estos tomates rellenos pueden servirse fríos, como entremés, o calientes, como plato principal.

CROQUETAS DE PATATA

TIEMPO DE COCCIÓN:
30 MIN

PARA 4 PERSONAS

800 g de patatas
1 huevo
nuez moscada
queso rallado
harina
mantequilla
sal

En primer lugar, limpie las patatas, lávelas y cuézalas en agua salada. Redúzcalas a puré e incorpore un huevo, nuez moscada y queso rallado. Forme croquetas; páselas por harina y fríalas con mantequilla en una sartén. Sírvalas doradas y calientes.

QUICHE DE TOMATE

Tiempo de cocción:
35 min

Para 6 personas

1 base de pasta brisa

10 tomates del tamaño de un huevo

3 yemas de huevo

125 g de nata líquida

100 g de gruyer rallado

1 diente de ajo

1 ramillete de perejil

mantequilla

sal

pimienta

Caliente el horno a 240 °C. Unte con mantequilla un molde de tarta, cubra el fondo con la pasta brisa y pínchela con un tenedor.

A continuación, pique finamente el ajo y el perejil.

Escalde los tomates para pelarlos con más facilidad. Pélelos y acomódelos en el fondo del molde. Espolvoree el ajo y el perejil picados por encima.

Después, bata dos yemas de huevo junto con la nata líquida y el queso rallado. Salpimiente y vierta la mezcla sobre los tomates.

Bata la yema restante y pinte los bordes de la masa.

Finalmente, lleve al horno con fuego medio durante 30 minutos y vigile la cocción. Sirva muy caliente.

TARTA DE CHAMPIÑONES

TIEMPO DE COCCIÓN:
75 MIN

PARA 4 PERSONAS

1 kg de champiñones
700 g de tomates
300 g de harina
200 g de mantequilla
200 ml de leche
1 cebolla
1 limón
2 huevos
aceite
50 g de perejil
hojas de albahaca
pan rallado
sal
pimienta recién molida

Una la harina, la mantequilla, una pizca de sal y el agua necesaria y trabaje hasta conseguir una masa para tartas. Unte un molde con mantequilla y espolvoréelo con pan rallado. Acomode la masa después de estirarla con un rodillo. Hornee durante 40 minutos.

Mientras, pique el perejil y limpie los champiñones separando el sombrero del pie. Corte los pies en sentido longitudinal.

Prepare tres sartenes. En la primera, saltee los sombreros con sal, pimienta, aceite y limón.

En la segunda, fría en mantequilla y aceite la cebolla, cortada en aros, durante algunos minutos, y añada los pies de los champiñones y el perejil; salpimiente.

En la tercera, finalmente, dore los tomates pelados y cortados con tres cucharadas de aceite; en el último momento, añada la albahaca; sazone con sal.

En la sartén que contiene los pies de los champiñones, añada harina y leche; mezcle cuidadosamente; lleve a ebullición, retire del fuego e incorpore las yemas de los huevos.

Retire la base de la tarta del horno y acomódela sobre la placa de cocción. Vierta toda la preparación sobre el fondo de la tarta. Disponga encima los sombreros de los champiñones, con la parte honda hacia arriba, y rellénelos con salsa de tomate.

Devuelva la placa al horno y hornee durante 15 minutos. Sirva caliente.

¿SABÍA QUE...?

La elaboración de esta receta es, quizás, un poco larga, pero... ¡es un regalo!

PATATAS ASADAS CON HIERBAS AROMÁTICAS

Tiempo de cocción:
35 min

Para 4 personas

1 kg de patatas

2 dientes de ajo

5 g de hierbas aromáticas (tomillo, romero, cilantro, comino, laurel...)

1 guindilla

50 ml de aceite de cacahuete

sal

Después de pelar y lavar las patatas, córtelas en cubos de 3 cm. Cuézalas durante 2 minutos en abundante agua salada. Escúrralas y déjelas enfriar. A continuación, vierta el aceite en una bandeja honda de horno y acomode las patatas. Remuévalas para que se empapen bien. Hornee durante 25 o 30 minutos a 200 °C. Un poco antes de finalizar, cuando las patatas estén bien doradas, espolvoree ajo picado, guindilla y hierbas aromáticas. Hornee durante algunos minutos más y sazone con sal. Elimine el excedente de grasa.

KUMARAS CON MIEL Y MOSTAZA

TIEMPO DE COCCIÓN:
35 MIN

PARA 4 PERSONAS

2 *kumaras* grandes pelados

6 cebollitas cortadas por la mitad

125 ml de miel

2 cucharadas de vinagre balsámico

2 cucharadas de mostaza a la antigua

1 cucharada de aceite de cacahuete

1 cucharada de jengibre fresco rallado

50 g de hojitas de rúcula (para servir)

Corte los *kumaras* en lonchas de 1 cm de espesor y acomódelos en una ensaladera junto con las cebollitas. En un bol de tamaño adecuado mezcle la miel, el vinagre, la mostaza y una cucharada sopera de agua, el aceite y el jengibre. Vierta este preparado sobre las hortalizas y remueva bien, después, retírelas, escúrralas y reserve la salsa.

Acomode las hortalizas sobre la parrilla del horno cubierta con papel de aluminio. Hornee durante 35 minutos a fuego medio, bañándolas regularmente con la salsa, hasta que estén ligeramente doradas. Sirva con las hojitas de rúcula.

KORMA VEGETARIANO

TIEMPO DE COCCIÓN: 40 MIN

PARA 4 PERSONAS

1 patata pelada y cortada en dados

1 berenjena pequeña picada

125 g de champiñones cortados en láminas gruesas

125 g de judías verdes cortadas en trozos de 2,5 cm

2 cebollas fileteadas

2 dientes de ajo prensados

1 trozo de jengibre fresco de 2,5 cm, rallado

1 cucharadita de comino en polvo

1 cucharadita de cilantro en polvo

1 cucharadita de cúrcuma

6 bayas de cardamomo

1 palo de canela de 5 cm

1 cucharadita de *garam masala*

1 guindilla finamente cortada

4 cucharadas de yogur natural

150 ml de nata líquida

50 g de mantequilla

una pizca de cilantro fresco

sal

pimienta recién molida

En una cacerola de fondo grueso funda la mantequilla. Saltee las cebollas durante 5 minutos hasta que se reblandezcan. Añada el ajo y el jengibre y rehóguelos 2 minutos; incorpore el comino, el cilantro, el cardamomo, la canela, la cúrcuma y la guindilla. Remueva durante 30 segundos.

Añada la patata, la berenjena y los champiñones y 200 ml de agua. Tape y lleve a ebullición, reduzca la llama y deje cocer durante 15 minutos. Después, añada las judías verdes y déjelas cocer, destapadas, durante 5 minutos.

A continuación, escurra las hortalizas y acomódelas en una bandeja caliente.

Reduzca un poco el jugo de cocción. Salpimiente, incorpore el yogur, la nata líquida y el *garam masala*. Vierta la salsa sobre las hortalizas y adorne con el cilantro fresco.

CONSEJO

Sirva acompañado de *pappadums* (tortas indias muy finas y crujientes). Puede adaptar esta receta a todas las estaciones del año. *Korma* es un término indio que designa cualquier plato con hortalizas (o carne) estofadas con agua, caldo y yogur o crema de leche.

RISOTTO DE LA ABUELA

TIEMPO DE COCCIÓN:
40 MIN

PARA 4 PERSONAS

500 g de tomates
400 g de arroz
100 g de mantequilla
unas hojas de albahaca
1 cebolla
3 cucharadas de aceite
4 cucharadas de queso parmesano rallado
1 l de caldo
sal
pimienta

Lave los tomates, pélelos y córtelos en trozos pequeños. Filetee la cebolla, póngala en la cacerola con albahaca, la mitad de la mantequilla y el aceite, y rehogue algunos minutos. Añada los tomates, salpimiente y deje a fuego suave durante 20 minutos. A continuación, retire la albahaca y vierta el arroz en la cazuela removiendo bien. Añada un cucharón de caldo caliente; cuando el arroz lo haya absorbido, vierta otro cucharón y proceda de la misma forma hasta finalizar el caldo. Después, agregue la mantequilla sobrante y el queso parmesano. Remueva y sirva.

ARROZ *PILAF*

Tiempo de remojo:
30 min
Tiempo de cocción:
40 min

Para
4-6 personas

225 g de arroz basmati
50 g de guisantes congelados
50 g de maíz congelado
25 g de anacardos ligeramente salteados
2 cucharadas de aceite
1/2 cucharadita de semillas de comino
2 hojas de laurel
4 bayas de cardamomo verde
4 clavos de olor
1 cucharadita de comino en polvo
1 cebolla finamente picada
sal

Lave el arroz basmati en agua abundante, y después póngalo en remojo en un cuenco con agua durante 30 minutos.

En una sartén al fuego con aceite, rehogue las semillas de comino durante 2 minutos. Agregue las hojas de laurel, el cardamomo y los clavos de olor. Saltéelo todo durante 2 minutos.

Incorpore la cebolla y rehóguela durante 5 minutos, el tiempo necesario para que se ablande y dore.

A continuación, escurra el arroz, acomódelo en la sartén junto con los guisantes y el maíz, ya descongelados, y los anacardos. Saltee el conjunto de 4 a 5 minutos.

Vierta 450 ml de agua, el comino en polvo y sale. Lleve a ebullición, tape y deje cocer a fuego suave, durante 15 minutos, hasta que el agua se haya evaporado. Deje reposar el *pilaf*, tapado, durante 10 minutos antes de servir.

POLENTA CON CHAMPIÑONES

TIEMPO DE COCCIÓN: 40 MIN

PARA 4 PERSONAS

200 g de sémola de maíz

200 g de champiñones

200 g de queso gruyer rallado

aceite

sal

Vierta la sémola de maíz en un recipiente con tres veces su volumen en agua salada. Deje cocer 20 minutos removiendo continuamente, para que la polenta no se pegue. Transcurrido este tiempo, extienda la masa sobre el mármol y déjela enfriar. Córtela en cuadros.

En una bandeja adecuada para el horno, disponga una capa de polenta, una de champiñones, rehogados en una sartén con aceite, una capa de queso rallado, y repita la operación para finalizar con una capa de queso. Gratine al horno durante 10 minutos.

RISOTTO DE OTOÑO

TIEMPO DE COCCIÓN:
45 MIN

PARA 4 PERSONAS

1/4 de calabaza madura

200 g de escanda sin cáscara

1 cebolla blanca

1 cubito de caldo de verduras

20 g de queso parmesano

3 cucharadas de aceite de oliva

50 ml de vino blanco

sal

pimienta recién molida

Pele la calabaza y córtela en pequeños dados. Después, pele la cebolla y píquela. Llene una cazuela con agua y llévela a ebullición, añada el cubito de caldo y reduzca la llama.

En una sartén con aceite, poche la cebolla. Vierta un vaso pequeño de agua, agregue los dados de calabaza y deje cocer a fuego suave durante 10 minutos. Salpimiente. Transcurrido este tiempo, añada el vino blanco y la escanda; remueva suavemente con una cuchara de palo. Riegue con el caldo caliente de forma regular durante 30 minutos, dejando que la escanda absorba cada vez el líquido. Cuando el preparado adquiera una consistencia cremosa, no añada más caldo. El *risotto* no debe quedar ni demasiado líquido ni excesivamente denso.

Corte el parmesano en virutas con la ayuda del pelapatatas. Acomode el *risotto* en un plato de servicio, espolvoree el queso por encima y sirva.

MIJO GRATINADO

Tiempo de cocción:
45 min

Para 4 personas

200 g de semillas de mijo

200 g de queso gruyer rallado

2 huevos

sal

Cueza el mijo durante 30 minutos en abundante agua salada. Escúrralo. En una bandeja de horno, acomode el mijo y el queso formando capas alternas. Vierta por encima los huevos batidos y lleve al horno caliente durante 15 minutos.

HORTALIZAS AL ESTILO DE CACHEMIRA

TIEMPO DE COCCIÓN: 45 MIN

PARA 4 PERSONAS

225 g de ramilletes de coliflor

225 g de ocras cortadas en rodajas

2 patatas grandes cortadas en trozos

2 cucharaditas de semillas de comino

8 granos de pimienta negra

2 bayas de cardamomo verde (únicamente las semillas)

1 palo de canela de 5 cm

1/2 cucharadita de nuez moscada en polvo

3 cucharadas de aceite

1 chile verde fresco picado

1 trozo de jengibre fresco de 2,5 cm, rallado

1 cucharadita de chile en polvo

150 ml de yogur natural

150 ml de caldo de verduras

almendras tostadas fileteadas

1 pizca de cilantro fresco

1/2 cucharadita de sal

En una batidora eléctrica o en un mortero, machaque los granos de comino, la pimienta, el cardamomo, la nuez moscada y el palo de canela.

En una cazuela grande con aceite, rehogue durante 2 minutos el chile y el jengibre, removiendo. Añada la guindilla en polvo, la sal y las especias machacadas; rehogue durante 2 o 3 minutos removiendo sin parar para que las especias no se peguen.

Añada las patatas, tape y deje que se hagan durante 10 minutos a fuego suave, removiendo de vez en cuando. Incorpore la coliflor y las ocras; prosiga la cocción durante 5 minutos antes de verter el yogur y el caldo. Lleve a ebullición, reduzca la llama, tape y deje cocer durante 20 minutos, hasta que todas las hortalizas estén tiernas.

Finalmente, decore el plato con las almendras fileteadas y el cilantro fresco.

VARIANTE

Puede utilizar esta receta para otras verduras de estación de colores contrastados.

TIMBAL DE PATATAS

Tiempo de cocción: 50 min

Para 4 personas

8 patatas

50 g de *ghee*

1 pizca de asafétida

1 pizca de cúrcuma

1 pizca de romero

50 g de pistachos tostados, picados

250 ml de nata líquida

sal

Cueza las patatas con piel durante 15 minutos en abundante agua salada. Pélelas y córtelas en láminas finas.

A continuación, funda el *ghee* en una cazuela y rehogue las especias con las hojas de romero. Incorpore los pistachos y la nata líquida. Deje en el fuego durante 2 minutos. Acomode las patatas en una bandeja, cúbralas con la salsa y llévelas al horno durante 30 minutos a 180 °C. Sirva caliente.

TARTA DE CEBOLLA Y TOMILLO

TIEMPO DE COCCIÓN: 55 MIN

PARA 6 PERSONAS

1 base de pasta brisa

2 cebollas grandes fileteadas

1/2 cucharadita de tomillo fresco o seco

1 huevo

2 cucharadas de mantequilla fundida o de aceite de oliva

120 ml de yogur natural

2 cucharaditas de semillas de amapola

2 pizcas de macis o de nuez moscada en polvo

sal

pimienta recién molida

Caliente la mantequilla o el aceite en una sartén. Añada las cebollas y rehóguelas durante 10 o 12 minutos a fuego suave, hasta que estén doradas. Sazone con tomillo, sal y pimienta. Retire del fuego y deje enfriar. Caliente el horno a 220 °C.

A continuación, acomode la pasta brisa en un molde. Pínchela con un tenedor y cúbrala con la cebolla.

Bata el huevo y el yogur, y viértalo todo sobre la cebolla. Espolvoree semillas de amapola y de macis o de nuez moscada por encima, y lleve al horno durante 35 o 40 minutos, hasta que la parte superior esté hinchada y dorada. Finalmente, deje enfriar 10 minutos en el molde. Sirva templada.

CALABAZA GRATINADA

TIEMPO DE COCCIÓN:
45 MIN

PARA 4 PERSONAS

800 g de calabaza

300 g de patatas

100 g de queso emmental rallado

70 g de mantequilla

2 huevos

1 pizca de nuez moscada

1 cubito de caldo de verduras

sal

pimienta recién molida

En primer lugar, pele y corte en trozos las patatas y la calabaza. A continuación, disuelva el cubito de caldo en un vaso de agua caliente. Cueza las verduras a fuego moderado en una cacerola, junto con 50 g de mantequilla fundida y el vaso de caldo. Cuando estén cocidas, haga un puré y devuélvalas al fuego para que evaporen toda el agua; deje enfriar.

Bata las yemas de los huevos, salpimiente y añada una pizca de nuez moscada. Bata las claras a punto de nieve e incorpore todo al puré.

Finalmente, vierta el preparado en un molde untado con mantequilla, espolvoreado con emmental y unas nueces de mantequilla, y hornee durante 30 minutos a fuego medio.

PASTEL DE QUESO FRESCO DE CABRA A LAS FINAS HIERBAS

Tiempo de cocción: 45 min

Para 6 personas

200 g de queso fresco de cabra

150 g de harina

1 sobre de levadura

3 huevos

150 ml de leche

100 ml de aceite

1 ramillete de perifollo

1 ramillete de cebollino

3 tallos de estragón

1 nuez de mantequilla para el molde

sal

pimienta

Caliente el horno a 180 °C y unte con mantequilla un molde para tarta.

A continuación, corte el queso de cabra en dados. Lave y pique las hierbas.

En un bol de tamaño adecuado, mezcle la harina, la levadura y los huevos, y después añada el aceite y la leche templada.

Incorpore los dados de queso de cabra y las hierbas. Salpimiente.

Vierta la preparación en el molde y lleve al horno durante 45 minutos. Sirva caliente o frío.

SEITÁN CON HORTALIZAS

Tiempo de remojo:
30 min
Tiempo de cocción:
50 min

Para 4 personas

- 400 g de seitán
- 200 g de zanahorias
- 200 g de patatas
- 200 g de col
- 1 pieza de *konnyaku*
- 20 g de setas *shiitake* secas
- cáscara de 1 naranja no tratada (para decorar)

Para la salsa

- 700 ml de caldo de verduras
- 40 ml de salsa de soja
- 5 g de sal

Ponga las setas en remojo durante 30 minutos en agua fría. Escúrralas y córtelas en cuartos.

A continuación, pele y corte en dados las patatas y las zanahorias, y filetee la col. Escalde las hortalizas con abundante agua hirviendo y reserve.

Mientras, corte el seitán en dados. En una cacerola al fuego, lleve a ebullición el caldo, las hortalizas escaldadas, las setas, el *konnyaku* y el seitán. Espume si es necesario e incorpore la salsa de soja y la sal. Deje cocer durante 30 minutos, tapado y a fuego lento. Transcurrido este tiempo, apague la llama y deje reposar 10 minutos.

Sirva en cuatro cuencos individuales. Puede servirlo decorado con la cáscara de naranja rallada.

CREMA DE GUISANTES

TIEMPO DE COCCIÓN: 1 H 10 MIN

TIEMPO DE REFRIGERACIÓN: 2 H

PARA 4 PERSONAS

200 g de guisantes desgranados

4 yemas de huevo

200 ml de nata líquida

50 ml de leche

2 tallitos de menta

80 g de queso parmesano rallado

sal

pimienta

Cueza los guisantes durante 10 minutos en abundante agua salada. Escúrralos y haga un puré.

A continuación, bata las yemas en un cuenco junto con la leche y la nata líquida. Salpimiente. Incorpore el puré de guisantes y las hojas de menta picadas.

Reparta en cuatro moldes y hornee durante 1 hora en el horno calentado a 100 °C. Transcurrido este tiempo retire del horno, deje enfriar y manténgalo en el refrigerador durante 2 horas.

Antes de servir, espolvoree cada molde con 20 g de queso parmesano rallado y dórelos unos minutos en el grill.

FRIJOLES REFRITOS

Tiempo de remojo:
6-8 h

Tiempo de cocción:
2 h

Para 4 personas

200 g de frijoles secos

1 cebolla

1 diente de ajo

1 guindilla

80 ml de aceite de oliva virgen extra

sal

Deje los frijoles en remojo entre 6 y 8 horas en agua fría. Transcurrido este tiempo, escúrralos y acomódelos en una cacerola con la cebolla y el ajo pelados, y la guindilla. Cubra con agua fría y deje cocer 1 hora y 30 minutos. Escurra de nuevo y reserve el agua de cocción.

Después, rehogue los frijoles en aceite caliente machacándolos toscamente con el tenedor. Sazone con sal, humedézcalos con una parte del líquido de cocción y rehogue durante algunos minutos hasta obtener un puré «seco».

Puede servirlos o conservarlos en el refrigerador durante unos días.

¿SABÍA QUE...?

Los frijoles refritos se utilizan como guarnición en numerosos platos «únicos».

POLENTA FRITA

Tiempo de cocción:
1h 10 min

Para 4 personas

125 g de harina de maíz + un poco para rebozar
guindilla
comino
cilantro
finas hierbas
aceite para freír
sal

Lleve a ebullición 500 o 600 ml de agua. Sazone con sal. Vuelque la harina de maíz en forma de lluvia, sin dejar de remover con una espátula. Deje cocer 50 minutos a fuego muy lento, removiendo de vez en cuando. Aromatice con la guindilla, el comino, el cilantro y las finas hierbas.

Una vez cocida la harina, extienda la masa sobre una placa de madera de pastelería y deje enfriar.

Corte la polenta ya fría en trozos de 5 o 6 cm de largo y 3 cm de ancho. Rebócelos con harina de maíz y fríalos por ambas caras en una sartén con aceite muy caliente. Deje que se escurra el aceite sobrante sobre papel absorbente.

CONSEJO

Sirva con salsas picantes y quesos cremosos especiados.

ESTOFADO DE HORTALIZAS CON ARROZ

TIEMPO DE REMOJO:
1 H
TIEMPO DE COCCIÓN:
1 H 10 MIN

PARA 4 PERSONAS

450 g de arroz basmati
200 g de guisantes
200 g de col verde
3 patatas pequeñas
2 tomates
1 chalota
30 g de *ghee*
1 g de *garam masala*
1 pizca de guindilla molida
1 pizca de jengibre
1 pizca de mostaza en grano
sal
pimienta recién molida

Ponga el arroz en remojo durante 1 hora.

Mientras, corte las hortalizas en dados y pique la chalota.

En una cacerola al fuego, funda el *ghee* y rehogue las especias, incluida la mostaza. Incorpore la chalota y dórela, después agregue las hortalizas y saltéelas durante 5 minutos a fuego vivo.

Vierta 2 litros de agua en la cacerola y lleve a ebullición. Sale y añada el arroz. Deje cocer, tapado, durante 1 hora, añadiendo agua si fuese necesario.

Sirva caliente.

ARROZ CON *AZUKIS*

TIEMPO DE REMOJO:
5 H
TIEMPO DE COCCIÓN:
1 H 20 MIN

PARA 6 PERSONAS

450 g de arroz glutinoso

60 g de azukis

salsa de soja (para servir)

Lave cuidadosamente los *azukis*; acomódelos en una cazuela con 500 ml de agua y lleve a ebullición. Llegado este punto, escúrralos, devuélvalos a la cazuela con la misma cantidad de agua y déjelos cocer durante 40 minutos. Después, escúrralos y conserve el agua de cocción. Cubra los *azukis* con un paño para evitar que se sequen.

A continuación, lave el arroz y téngalo en remojo durante 5 horas en el agua de cocción de los *azukis*. Escurra y guarde el agua de remojo. Una el arroz y los *azukis*.

Disponga un paño en un cesto para cocción al vapor, acomode el arroz y los *azukis*, y déjelos cocer durante 30 minutos a fuego vivo. Humedezca el preparado durante la cocción con el agua de remojo. (No se sorprenda si el arroz toma un color rosado al cocer con los *azukis*).

Sirva en cuencos individuales, acompañado de un pequeño bol con salsa de soja.

ALBÓNDIGAS VEGETARIANAS

TIEMPO DE REMOJO: 24 H

TIEMPO DE COCCIÓN: 1 H 20 MIN

PARA 4 O 5 PERSONAS

450 g de habas

1 diente de ajo picado

4 patatas amarillas grandes

3 puerros

2 cebollas

20 g de *ghee*

1 pizca de guindilla molida

2 pizcas de curri masala

3 huevos

300 g de pan rallado

100 g de perejil fresco

aceite para freír

sal

pimienta

Ponga en remojo las habas en agua durante 24 horas. Pélelas y déjelas cocer durante 40 minutos en agua salada. Escúrralas y macháquelas junto con el ajo.

Mientras, cueza las patatas con piel en agua salada. Pélelas y macháquelas.

Corte los puerros y las cebollas en juliana, y rehóguelos en *ghee* fundido hasta que estén dorados. Incorpore las especias, vierta un vaso de agua y deje cocer durante 20 minutos. Triture el conjunto en la batidora eléctrica antes de añadir las habas y las patatas machacadas y dos huevos.

A continuación, pique el perejil y el ajo, e incorpórelos al puré de verduras. Salpimiente.

Elabore unas albóndigas grandes (una o dos por persona) y rebócelas con huevo y pan rallado. Finalmente, fríalas en una sartén o en un *wok* con aceite muy caliente. Sirva.

TARTA DE CEBOLLA

Tiempo de cocción:
45 min

Para 4 personas

800 g de cebollas

5 huevos

50 g de mantequilla

2 cucharadas de aceite

2 cucharadas de queso parmesano rallado

125 ml de nata líquida

2 o 3 cucharadas de pan rallado

sal

Pele y corte las cebollas en aros.

En una sartén a fuego suave con aceite y mantequilla, dore las cebollas. Incorpore el queso, la nata líquida y los huevos; sale y mezcle.

Vierta el preparado en un molde untado con mantequilla. Espolvoree pan rallado por encima y métala en el horno a fuego medio durante 20 o 25 minutos, hasta que se forme una costra dorada.

Sirva fría o caliente.

VARIANTE

Puede sustituir la mitad de las cebollas por calabacines cortados en láminas.

RISOTTO CON CHAMPIÑONES

Tiempo de cocción:
1 h 25 min

Para 4 personas

500 g de tomates
400 g de arroz
300 g de champiñones
100 g de mantequilla
unas hojas de albahaca
1 cebolla
1 diente de ajo
250 ml de nata líquida
1 cucharada de harina
1 l de caldo
3 cucharadas de aceite
4 cucharadas de queso parmesano rallado
sal
pimienta

Limpie los champiñones, separe los sombreros de los pies, lávelos y enjuáguelos.

En una cacerola, incorpore 30 g de mantequilla, el aceite, la cebolla cortada en aros y el diente de ajo aplastado; rehogue durante unos minutos; añada los tomates despepitados, la albahaca y los pies de los champiñones; sazone con sal y deje en el fuego durante 1 hora.

Mientras, caliente 30 g de mantequilla, incorpore los sombreros de los champiñones, salpimiente y rehogue humedeciéndolos de vez en cuando con un poco de agua.

Pase por el tamiz el preparado con los tomates, viértalo en una cazuela, añada el arroz, un cucharón de caldo y remueva. Espere que el arroz absorba el caldo antes de añadir más. Prosiga esta operación hasta finalizar el líquido.

Durante este tiempo, añada a los sombreros de los champiñones la nata líquida, en la que habrá disuelto la harina. Mantenga en el fuego durante 5 minutos.

Incorpore al *risotto* la mantequilla sobrante y el parmesano rallado. Trasládelo a un plato de servicio, practique un hoyo en el centro del arroz y vierta la salsa de champiñones. Sirva muy caliente.

GRATINADO DE HIGOS E HINOJO

TIEMPO DE MACERACIÓN: 3 O 4 H
TIEMPO DE COCCIÓN: 1 H 25 MIN

PARA 4 O 6 PERSONAS

- 10 higos morados
- 4 bulbos de hinojo pequeños
- 400 ml de vino dulce
- 3 hojas de laurel
- 1 pizca de tomillo
- 1 clavo de olor
- 3 cucharadas de aceite de oliva
- 200 g de queso parmesano
- mantequilla
- 1 pellizco de sal
- pimienta recién molida

Lave cuidadosamente los higos. Después de pincharlos con un tenedor, póngalos a macerar con el vino. Incorpore el laurel, el tomillo y el clavo de olor, espolvoree pimienta por encima y deje macerar durante 3 o 4 horas a temperatura ambiente.

Caliente el horno a 180 °C.

Mientras, cueza en un cazo durante 35 minutos los higos con el vino.

Lave los bulbos de hinojo y córtelos en cuartos. Después, rehóguelos durante 10 minutos a fuego medio en una sartén con un poco de aceite de oliva. Salpimiente ligeramente.

Unte con mantequilla una bandeja, acomode los higos, añada los cuartos de hinojo y vierta 100 ml del fondo de cocción. Hornee durante 20 minutos.

Finalmente, espolvoree virutas de parmesano sobre la bandeja y prosiga la cocción durante 20 minutos.

Sirva caliente.

POSTRES

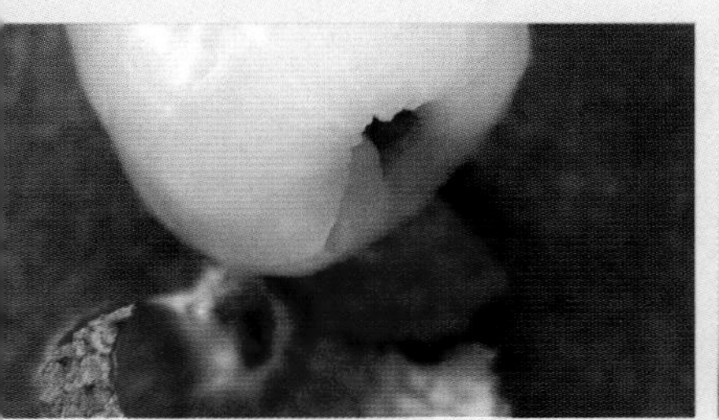

MOUSSE DE PAPAYA

Para 4 personas

2 papayas

10 g de albahaca dulce tailandesa

50 g de nata montada

100 ml de leche

50 ml de leche de coco

1 cucharadita de sake

2 cucharadas y media de azúcar

1 hoja de gelatina

En primer lugar, remoje la gelatina en agua fría.

Pele y corte las papayas por la mitad; quite las semillas.

Reserve un cuarto de papaya y mezcle el resto con la nata, los dos tipos de leche, el azúcar y el sake. Triture todos los ingredientes con la batidora eléctrica. Agregue la gelatina escurrida y disuelta en un poco de agua caliente. Distribuya la preparación en copas y deje refrigerar en la nevera.

Remoje la albahaca dulce y agréguela al cuarto de papaya cortado en dados.

Antes de servir, decore las copas con la albahaca y los dados de papaya.

NARANJAS CON CANELA

PARA 4 PERSONAS

12 naranjas de piel fina

2 cucharadas de agua de azahar

2 cucharadas de canela en polvo

50 g de azúcar

algunas hojas de menta fresca (para decorar)

Pele las naranjas. Córtelas en rodajas delgadas, quite las pepitas y acomódelas en una ensaladera. Agregue el agua de azahar, y espolvoree la canela y el azúcar por encima.

Decore con algunas hojas de menta fresca.

PLÁTANOS CARAMELIZADOS

Tiempo de cocción:
10 min

Para 4 personas

4 plátanos

4 cucharadas de azúcar

canela en polvo

2 cucharaditas de sake

Prepare el caramelo: disuelva el azúcar en un poco de agua, si es posible en un cazo de cobre, y cuézalo a fuego medio y sin remover.

Pele los plátanos y córtelos en trozos de 5 cm. Sumérjalos en el caramelo. Deje que se caramelicen a fuego medio durante 5 minutos girándolos regularmente. A continuación, disponga los trozos de plátano sobre una bandeja, espolvoree con canela y riegue con el sake caliente. Flambee en la mesa y sirva.

VARIANTE

Puede sustituir los plátanos por peras, manzanas o cítricos.

TRENZAS CRUJIENTES

Tiempo de cocción:
5 min

Para 4 personas

100 g de harina

2 cucharadas y media de azúcar

50 g de mantequilla

1 huevo

aceite de cacahuete para freír

Forme un volcán con la harina y coloque en el centro la mantequilla, el huevo y el azúcar.

Mezcle con energía hasta obtener una masa homogénea (añada si hiciera falta un poco de agua). Forme un cilindro de 2 o 3 cm de diámetro y córtelo en porciones regulares. Estire cada trozo sobre la superficie de trabajo con las manos formando un cilindro largo y delgado, dóblelo sobre sí mismo y cruce los extremos formando una trenza. Repita la operación con cada porción de masa.

Fría las trenzas en una sartén con abundante aceite hasta que se hinchen y queden doradas. Escúrralas sobre papel absorbente y sírvalas frías.

GELATINA CON SÉSAMO

TIEMPO DE REMOJO:
1 H

TIEMPO DE COCCIÓN:
7 MIN

PARA 4 PERSONAS

250 ml de leche de arroz

80 g de azúcar

1 barra de agaragar

30 g de tajín

7 g de kazu

100 g de semillas de sésamo blanco

PARA EL ALMÍBAR

80 g de azúcar de caña

80 g de azúcar blanco

Coloque el *kazu* y una gota de agua en un bol. Corte el agaragar en trozos y déjelo en remojo durante 1 hora antes de escurrirlo. Mientras, prepare el almíbar: disuelva los dos tipos de azúcar en 80 ml de agua, lleve a ebullición y deje enfriar.

Coloque todos los ingredientes, excepto el sésamo, en una cacerola con 250 ml de agua y cueza a fuego suave hasta que la preparación adquiera densidad. Vierta la masa en una bandeja poco honda, espolvoree la mitad del sésamo, nivele la superficie y distribuya el resto del sésamo. Cuando la preparación esté fría, córtela en pequeños dados. Sirva con el almíbar.

GRATINADO DE CÍTRICOS

Tiempo de cocción:
8 min

Para 4 personas

1 pomelo rosa

2 naranjas

2 limas

2 huevos medianos

75 ml de leche evaporada no azucarada 4%

1 cucharadita de fécula de patata

1 *petit suisse* desnatado

4 cucharadas de edulcorante de cocina en polvo (o azúcar)

Pele todas las frutas. Divídalas en cuartos y resérvelas.

En un bol, bata los huevos. Mientras continúa batiendo, agregue la fécula, el *petit suisse*, la leche evaporada y el edulcorante.

Cueza durante 5 minutos en el microondas a 750 W, removiendo la crema cada 2 minutos.

Unte cuatro moldes pequeños de tamaño suficiente, acomode en ellos los cuartos de cítricos y cúbralo todo con la crema.

Coloque bajo el grill del microondas durante 3 minutos.

CREMA DE VAINILLA Y CANELA

TIEMPO DE COCCIÓN: 10 MIN

TIEMPO DE ENFRIAMIENTO: 3 H

PARA 4 PERSONAS

400 ml de leche
1 vaina de vainilla
1 palo de canela
cáscara de 1 limón
cáscara de 1 naranja
150 g de azúcar + un poco para caramelizar
10 g de maicena
4 yemas de huevo

En una cacerola grande, lleve la leche a ebullición con la vaina de vainilla hendida, medio palo de canela y las cáscaras de limón y de naranja.

Coloque en un cuenco grande el azúcar, la maicena y las yemas de huevo. Mezcle hasta obtener una masa homogénea y luego vierta la leche hirviendo. Lleve de nuevo al fuego y remueva sin cesar, para evitar que se formen grumos, hasta que comience la ebullición. Cuele la crema y repártala en moldes individuales. Refrigere en la nevera durante 3 horas.

Para decorar: espolvoree los moldes con azúcar y caramelícelos en el grill del horno o con un soplete, y agregue un serpentín de cáscara de limón y una tirita de canela.

LICHIS CON AGUA DE ROSAS

Tiempo de cocción:
10 min

Para 4 personas

500 g de lichis

2 cucharadas de agua de rosas

2 cucharadas de azúcar

Vierta el azúcar en seis cucharadas de agua hirviendo y disuélvalo. Pele y deshuese los lichis; distribúyalos en copas individuales. Vierta de inmediato el agua de rosas y el almíbar obtenido con la mezcla anterior.

VARIANTE

Este postre tiene propiedades digestivas. Puede sustituir los lichis por cualquier otra fruta exótica en almíbar, que encontrará fácilmente en comercios de productos orientales.

SÉMOLA AROMATIZADA CON LIMA

Tiempo de cocción:
10 min

Para 4 personas

1 lima no tratada

600 ml de leche

20 g de azúcar en polvo

100 g de sémola fina

Retire la cáscara de la lima. En una cacerola, caliente a fuego suave la leche, el azúcar y la cáscara de la lima. Remueva con una cuchara de madera.

Incorpore la sémola en forma de lluvia mientras remueve sin cesar. Lleve a ebullición y reduzca el fuego cuando comience a hervir. Prosiga la cocción removiendo hasta que la mezcla se espese. Distribuya en moldes individuales y deje enfriar. (Es normal que la sémola aumente ligeramente de volumen).

ALMENDRADOS

Tiempo de cocción:
15 min

Para 4 personas

200 g de ghee

400 g de harina

130 g de azúcar

40 g de almendra en polvo

18 almendras tostadas

mantequilla

Todos los ingredientes deben estar a temperatura ambiente.

Colóquelos todos —excepto las almendras tostadas— en un cuenco grande y trabájelos hasta obtener una masa compacta pero maleable. Divídala en 18 bolas y fije sobre cada una de ellas una almendra. Acomódelas, bien separadas, sobre una placa de horno untada con mantequilla y enharinada. Hornee durante 15 minutos a 180 °C, hasta que los almendrados se doren. Sírvalos fríos.

CONSEJO

Estos almendrados se conservan muy bien en un recipiente hermético y también se pueden congelar.

PASTILA RELLENA DE LECHE

TIEMPO DE COCCIÓN: 20 MIN

PARA 6 PERSONAS

12 hojas de pasta brick

300 g de almendras peladas

900 ml de leche

3 cucharadas de maicena

100 g de azúcar

4 cucharadas de aceite

120 g de mantequilla

3 cucharadas de agua de azahar

canela en polvo

Tueste las almendras en una sartén con aceite durante 2 minutos. Escúrralas sobre papel absorbente. Deje que se enfríen y a continuación píquelas toscamente junto con 2 cucharadas de azúcar.

En una cacerola, disuelva la maicena y el resto del azúcar con un poco de leche fría. Vierta poco a poco el resto de la leche. Lleve a ebullición removiendo sin cesar y deje hervir durante 2 minutos. Retire del fuego, aromatice con el agua de azahar y deje enfriar.

Caliente el horno a 180 °C. Pincele dos hojas de pasta brick con mantequilla fundida templada. Superpóngalas sobre una placa y dórelas en el horno, unos 6 minutos. Repita la operación con el resto de las hojas, horneándolas de dos en dos.

Sobre una bandeja de servicio, coloque dos hojas de pasta brick superpuestas. Cubra con la salsa de leche. Espolvoree con almendra por encima y cubra con otras dos hojas. Complete la *pastila* alternando estos productos. Sirva espolvoreada con almendra y canela.

PIÑA CARAMELIZADA CON COCO Y MIEL

Tiempo de cocción:
15 min

Para 4 personas

1 piña muy madura

40 g de mantequilla

2 cucharadas de azúcar integral

4 cucharadas de ron

2 cucharadas de miel

40 g de coco rallado

algunas fresas (para decorar)

cáscara de 1 limón (para decorar)

Pele la piña, elimine el corazón fibroso y córtela en rodajas de 1 cm de grueso. Acomódelas en una bandeja de horno untada con mantequilla, reservando una rodaja para la decoración. Espolvoree azúcar integral por encima, riéguelas con ron y miel, espolvoree coco rallado por encima y distribuya sobre la superficie nueces de mantequilla. Hornee durante 15 minutos a 200 °C. Retire la bandeja del horno y traslade el contenido a una bandeja de servicio. Decore con medias fresas, dados de piña natural, cintas de cáscara de limón y coco rallado.

ALBARICOQUES CON LAVANDA

Tiempo de cocción:
15 min

Para 4 personas

600 g de albaricoques

250 ml de leche

150 ml de nata líquida

2 yemas de huevo

25 g de harina de repostería

50 g de azúcar glas

1 sobre de azúcar vainillado

15 g de mantequilla

1 cucharada de lavanda seca

Lave, seque y deshuese los albaricoques. Distribúyalos en cuatro bandejas individuales para gratinar.

Lleve la leche a ebullición.

Bata las yemas con el azúcar (glas y vainillado) e incorpore a continuación la harina. Vierta la leche removiendo la mezcla. Cueza en una cacerola a fuego medio durante 5 minutos, hasta que se espese, sin dejar de remover. Añada la lavanda. Coloque el trozo de mantequilla en la superficie, sin remover, y deje enfriar.

Bata la nata muy fría para montarla. Incorpórela a la crema pastelera. Distribúyala sobre los albaricoques y dórelos rápidamente en el grill del horno muy caliente.

BUÑUELOS CON SÉSAMO

TIEMPO DE COCCIÓN:
15 MIN

PARA 4 PERSONAS

150 g de harina

2 cucharadas y media de azúcar

1 cucharadita de levadura química

1 huevo

1 cucharada de manteca

1 cucharada de sésamo blanco

aceite de cacahuete para freír

Coloque la harina, el azúcar y la levadura en un cuenco grande. En otro, mezcle la manteca, el huevo y dos cucharadas de agua. Una las dos preparaciones y trabájelas hasta obtener una masa ligera. Divídala en doce partes y forme bolitas a las que añadirá sésamo blanco.

En un *wok* al fuego con el aceite, fría las bolitas durante 10-12 minutos. Cuando se hinchen, aumente el fuego para que se doren. Escurra los buñuelos sobre papel absorbente y sírvalos calientes o fríos.

VARIANTE

Puede sustituir las semillas de sésamo por fruta confitada.

EMPANADILLAS DE PLÁTANO

TIEMPO DE COCCIÓN:
20 MIN

PARA 4 PERSONAS

200 g de harina

80 g de *ghee*

500 ml de *dahi*

80 g de coco rallado

3 plátanos maduros

50 g de uvas pasas, remojadas y escurridas

aceite de oliva virgen extra

sal

Sobre la superficie de trabajo, forme un volcán con la harina. Incorpore el *ghee* ablandado y una pizca de sal, y a continuación el *dahi*. Extienda la masa con el rodillo hasta alcanzar un espesor de unos pocos milímetros. Córtela en discos de 8 cm de diámetro.

Prepare el relleno: mezcle el coco rallado, las pasas y los plátanos machacados.

Coloque una cucharada de relleno sobre cada disco y dóblelo formando una media luna.

Fría las empanadillas en aceite hirviendo. Escúrralos sobre papel absorbente para eliminar el exceso de grasa. Sirva muy calientes.

HALWA

Tiempo de cocción:
20 min

Para 8 personas

100 g de sémola
25 g de *ghee*
30 g de anacardos
100 g de azúcar de caña
10 g de cardamomo en polvo
1 pizca de pimienta molida
30 g de uvas pasas

En una sartén al fuego, tueste en seco durante algunos minutos la sémola. Agregue el *ghee* y reserve.

Tueste los anacardos.

Lleve a ebullición 180 ml de agua con el azúcar y agregue la sémola, las especias, los anacardos y las pasas. Cuando se espese, retire del fuego y vierta la mezcla en una bandeja.

Deje enfriar y corte en rombos o en rectángulos.

DULCE DE ZANAHORIAS

TIEMPO DE COCCIÓN:
25 MIN

PARA 4 PERSONAS

500 g de zanahorias

3 bayas de cardamomo

40 g de ghee

250 ml de leche fresca entera

200 g de azúcar de caña

40 g de uvas pasas

20 g de almendras en polvo

40 g de pistachos sin cáscara

Limpie y ralle las zanahorias.

Extraiga las semillas de cardamomo y redúzcalas a polvo.

Rehogue las zanahorias durante 10 minutos en el *ghee* fundido. Agregue la leche, el azúcar, el cardamomo, las pasas y las almendras. Remueva hasta obtener una masa que se desprenda de la cacerola.

Humedézcase las manos, vuelque la masa sobre una bandeja y dele forma de cúpula.

Para finalizar, espolvoree con pistachos picados por encima y sirva templado.

CONSEJO

Puede acompañar este postre con yogur natural.

TARTA DE MANGO

Tiempo de cocción:
25 min

Para 6 personas

1 rollo de masa de hojaldre

3 mangos medianos maduros

1 lima

2 pizcas de canela

2 cucharadas de azúcar integral

15 g de mantequilla semisalada

Caliente el horno a 200 °C. Coloque la masa de hojaldre con su hoja de cocción sobre una placa. Doble los bordes para formar un pequeño realce que retendrá el relleno. Pique toda la superficie con un tenedor.

Corte los mangos en dos partes, con el hueso a lado y lado. Pele y filetee cada mitad. Disponga las láminas de mango sobre la masa, haciendo que se superpongan ligeramente.

Funda la mantequilla. Agregue, batiendo, la canela y la ralladura de la cáscara de la lima. Pincele los mangos con esta mantequilla aromatizada. Espolvoree azúcar por encima. Hornee durante 25 minutos. Sirva la tarta templada.

TORTITAS DE ALGAS

Tiempo de reposo:
1 h
Tiempo de cocción:
25 min

Para 4 personas

130 g de harina
50 g de azúcar
2 huevos
15 g de sake
10 g de miel
5 g de bicarbonato
2 g de alga *nori* seca y cortada en juliana

Bata los huevos y el azúcar en un recipiente. Disuelva la miel en 60 ml de agua templada y agréguela a los huevos, vierta el sake y remueva cuidadosamente.

Tamice varias veces la harina junto con el bicarbonato y añádala a la preparación anterior, así como las algas. Remueva, tape con plástico transparente para uso alimentario y deje reposar durante 1 hora.

Caliente un poco de aceite en una sartén antiadherente pequeña (de unos 12 cm de diámetro). Vierta dos cucharadas de masa y dore durante 2 minutos por cada lado. Retire la tortita de la sartén y repita la operación hasta terminar la masa. Sírvalas acompañadas de una taza de té caliente.

PASTEL DE BONIATOS Y CASTAÑAS

Tiempo de cocción:
30 min

Para 4 personas

225 g de boniatos

1 yema de huevo

100 g de azúcar + 20 g para las castañas

40 g de harina

1 cucharadita de agua de azahar

100 g de castañas en almíbar

1 bastoncillo de angélica confitada

10 g de mermelada de ciruela

2 gotas de colorante rojo alimentario

2 g de sal

Coloque los boniatos pelados y cortados en dados en una cacerola y cúbralos de agua salada. Lleve a ebullición y deje cocer durante 25 minutos. Finalizada la cocción, escurra y aplaste los boniatos, incorpore la yema de huevo, el azúcar, 40 ml de agua, la harina y el agua de azahar, y amase bien todos los ingredientes. Devuelva la pasta a la cacerola y manténgala en el fuego 4 minutos removiendo. Deje enfriar.

Disponga dos cucharadas de masa en el centro de un paño de algodón húmedo, cierre y retuerza el paño. Repita la operación hasta agotar la masa.

Escurra las castañas, rehóguelas con un poco de azúcar y decore con los trozos de angélica. Incorpore el colorante a la mermelada de ciruelas y decore los pastelillos de boniato. Presente sobre una bandeja de servicio.

CONSEJO

Estos dulces se conservan hasta cinco días en el interior de un recipiente en la nevera.

TARTA DE LECHE FERMENTADA

TIEMPO DE COCCIÓN:
30 MIN

PARA
6-8 PERSONAS

1 placa de pasta brisa

750 g de leche fermentada

60 g de harina

3 huevos

1 pizca de sal

En un cuenco grande, mezcle la leche fermentada, la harina, los huevos y la sal.

Forre un molde de tarta con la pasta brisa y vierta en él la mezcla preparada hasta alcanzar los tres cuartos de capacidad. Hornee a fuego medio.

Sirva la tarta caliente o fría.

BOLITAS DE CREMA DE SOJA

TIEMPO DE REMOJO: 1 NOCHE

TIEMPO DE COCCIÓN: 30 MIN

PARA 4 PERSONAS

300 g de judías de soja verde

300 g de azúcar

Lave las judías de soja y déjelas en remojo durante una noche.

Escúrralas, colóquelas en una cacerola cubiertas con agua y llévelas a ebullición. Espúmelas si fuera necesario y cueza las judías hasta que estén tiernas. Escúrralas y tritúrelas con el pasapurés. Coloque la masa obtenida en la cacerola junto con el azúcar y cueza a fuego suave para que se seque. Deje enfriar y forme bolitas trabajándolas con dos cucharas.

BONIATOS CARAMELIZADOS

TIEMPO DE COCCIÓN:
10 MIN + 20 MIN
PARA EL CARAMELO

PARA 4 PERSONAS

600 g de boniatos

5 cucharadas
de azúcar

2 cucharadas de
aceite de sésamo

aceite de maíz
para freír

Pele y corte en rombos los boniatos; póngalos en remojo y después escúrralos y séquelos. Caliente en una sartén una mezcla de aceites de maíz y de sésamo. Fría los rombos de boniato a fuego medio.

Mientras, prepare un caramelo dejando cocer lentamente en una cacerola una cucharada de aceite de maíz, el azúcar y tres cucharadas de agua. Por último, incorpore los boniatos fritos y deje que se doren durante 1 o 2 minutos. Sírvalos muy calientes.

BARFI DE COCO

TIEMPO DE COCCIÓN:
35 MIN

PARA 4 PERSONAS

1 l de leche

125 ml de nata líquida

80 g de azúcar

1 vaina de vainilla

100 g de coco rallado + un poco para decorar

En una cacerola antiadherente, lleve a ebullición la leche junto con la nata líquida. Deje cocer durante 30 minutos removiendo de vez en cuando y reduzca después la llama. Agregue el azúcar y la vainilla.

Vierta una cucharada de la mezcla en agua fría para comprobar su densidad: cuando se forme una pequeña bola blanda, agregue el coco y prosiga la cocción durante 2 minutos.

Extienda la preparación en una bandeja de servicio ancha, de manera que alcance un grueso de algunos centímetros. Deje enfriar y espolvoree coco rallado por encima.

CONSEJO

Este postre se puede preparar el día anterior y conservarlo en la nevera. No obstante, debe servirse a temperatura ambiente.

CRUMBLE ESPECIADO CON MANZANAS

TIEMPO DE COCCIÓN: 35 MIN

PARA 4-6 PERSONAS

500 g de manzanas

150 g de moras

50 g de azúcar integral

zumo y ralladura de 1 naranja

mantequilla

PARA LA MASA

150 g de harina

80 g de mantequilla

80 g de azúcar glas

3 cucharadas de avellanas picadas

1/2 cucharadita de cardamomo majado

Caliente el horno a 200 °C. Unte con mantequilla una bandeja de horno.

Pele las manzanas, retire el corazón, córtelas en rodajas y acomódelas en la bandeja. Distribuya por encima las moras y la ralladura de naranja. Espolvoree el azúcar por encima y riéguelo todo con el zumo de naranja. Reserve.

Coloque en un cuenco grande la harina e incorpore la mantequilla frotándola entre los dedos para obtener una mezcla granulosa, similar a las migas. Agregue el azúcar glas, las avellanas y el cardamomo. Cubra por completo la fruta con esta mezcla y hornéela durante 30-35 minutos, hasta que el *crumble* se dore. Sirva caliente.

CONSEJO

Puede servir este postre acompañado de una crema inglesa.

SUFLÉ A LA VAINILLA

TIEMPO DE COCCIÓN:
35 MIN

PARA 4 PERSONAS

1 l de leche

50 g de mantequilla

40 g de azúcar

40 g de harina

4 huevos

1 vaina de vainilla

Unte con mantequilla un molde de suflé y espolvoree las paredes con 20 g de azúcar.

Hierva la leche con la vainilla y, fuera del fuego, agregue la mantequilla y el azúcar mezclado con la harina; remueva vigorosamente para evitar la formación de grumos. Lleve de nuevo al fuego y, en el momento de comenzar la ebullición, retire el cazo; vierta el contenido en un cuenco grande, retire la vainilla y déjelo enfriar.

Monte las claras a punto de nieve; incorpórelas a la crema, así como las yemas batidas. Vierta la preparación en el molde. Hornee durante 20 minutos a fuego medio, y sirva en cuanto esté listo.

CONSEJO

¡No abra la puerta del horno durante la cocción del suflé! Espere a que ya esté hecho si no quiere ver cómo pierde su volumen.

PASTEL DE MAÍZ

Tiempo de cocción:
40 min

Para 4 personas

- 125 g de harina de maíz fina
- 125 g de harina de repostería
- 1 huevo entero + 1 yema
- 100 g de azúcar de caña
- 100 g de mantequilla blanda
- 50 ml de cava
- 1 sobre de azúcar vainillado
- ralladura de 1 limón
- 1/2 sobre de levadura
- sal

Bata el huevo entero y la yema con el azúcar y, luego, incorpore la mantequilla. Vierta el cava y agregue el azúcar vainillado, la ralladura de limón y una pizca de sal. Mezcle los ingredientes. Incorpore las harinas y la levadura sin trabajar demasiado la masa.

Acomode la preparación en un molde de tarta untado con mantequilla y enharinado. Hornee durante 40 minutos a 180 °C. Deje enfriar antes de servir.

TARTA DE PERAS Y CACAO

TIEMPO DE MACERACIÓN: 1 H

TIEMPO DE COCCIÓN: 40 MIN

PARA 6 PERSONAS

300 g de pasta brisa

3 peras grandes

1 naranja

3 huevos

150 g de nata líquida

2 cucharadas rasas de cacao en polvo sin azúcar

2 cucharadas rasas de almendra en polvo

100 g de azúcar

10 g de mantequilla

Pele las peras, córtelas por la mitad y quite el corazón y las pepitas. Corte cada media pera en tres partes. Déjelas macerar durante 1 hora en el zumo de la naranja.

En un cuenco grande, bata dos yemas y un huevo entero con el azúcar en polvo, y añada después el cacao, las almendras en polvo y la nata líquida.

Caliente el horno a 210 °C. Forre con la pasta brisa un molde de tarta. Disponga sobre la masa los trozos de pera bien escurridos y métalo todo en el horno durante 10 minutos. Al cabo de un rato, saque la tarta del horno y vierta la preparación de cacao; después, hornee la tarta durante 30 minutos. Si la superficie toma color demasiado rápido, protéjala con una hoja de papel de aluminio untada ligeramente con mantequilla.

Finalmente, déjela reposar 5 minutos en el interior del horno apagado antes de desmoldar. Sirva esta tarta templada o fría.

ARROZ CON LECHE ORIENTAL

TIEMPO DE COCCIÓN: 40 MIN

PARA 4 PERSONAS

80 g de arroz basmati

1 l de leche

50 g de uvas pasas

4 bayas de cardamomo

1 pizca de azafrán

20 anacardos

20 almendras

100 g de azúcar de caña

Caliente la leche durante 20 minutos (sin que llegue a hervir).

Mientras, deje las pasas en remojo con agua caliente.

Extraiga las semillas de las bayas de cardamomo, májelas en un mortero y agréguelas a la leche. Añada también el arroz, el azafrán, los frutos secos picados y las pasas.

Tape la cacerola y deje cocer durante 20 minutos a fuego muy suave, hasta que el arroz esté en su punto. Retire del fuego y endulce con el azúcar. Sirva caliente.

PUDÍN CON FRUTOS SECOS

TIEMPO DE COCCIÓN: 40 MIN

PARA 6-8 PERSONAS

200 g de pan duro
200 ml de leche
2 huevos
50 g de azúcar
1 manzana
100 g de frutos secos picados
40 g de uvas pasas remojadas
20 g de cacao
ralladura de 1 limón
20 ml de ron
canela
50 g de mantequilla
40 g de harina de trigo
40 g de harina de maíz
1/2 sobre de levadura

Desmenuce el pan y póngalo en remojo con la leche.

Bata los huevos con el azúcar, y agregue la manzana pelada y cortada en dados, los frutos secos, las pasas escurridas, el cacao, la ralladura de limón, el ron, una pizca de canela, la mantequilla cortada en trozos, las harinas y la levadura.

Escurra el pan, distribúyalo en un molde untado con mantequilla y enharinado, y vierta sobre él la preparación anterior.

Hornee durante 40 minutos a 180-200 °C. Sirva templado.

CREMA DE *AZUKIS*

TIEMPO DE REMOJO:
1 NOCHE

TIEMPO DE COCCIÓN:
50 MIN

PARA 4 PERSONAS

300 g de azukis

300 g de azúcar

20 g de piñones tostados (para servir)

Lave cuidadosamente los *azukis* y póngalos en remojo durante la noche anterior en agua abundante.

Escúrralos, déjelos cocer con mucha agua hasta que se espume; escurra nuevamente y repita la operación. Prosiga la cocción hasta que las judías de soja estén tiernas.

A continuación, escurra los *azukis* y tritúrelos con la batidora eléctrica. Coloque el puré en una cacerola con el azúcar y deje a fuego suave removiendo sin cesar hasta que la masa se seque.

Sirva en moldes o platos individuales añadiendo unos piñones tostados.

PASTEL DE MANZANA

Tiempo de cocción:
50 min

Para 6 personas

150 g de harina de repostería
150 g de mantequilla blanda + un poco para dorar
150 g de azúcar glas
1 sobre de levadura
2 huevos
ralladura de 1 limón
1 cucharadita de especias molidas (canela y clavo de olor)
30 ml de ron
2 o 3 manzanas golden
3 cucharadas de azúcar de caña
sal

Bata durante bastante tiempo la mantequilla con 150 g de azúcar glas y una pizca de sal, hasta obtener una masa esponjosa. Incorpore los huevos, la harina tamizada, la levadura, la ralladura de limón, las especias molidas y el ron.

Acomode la masa obtenida en un molde untado con mantequilla y enharinado. Añada las manzanas peladas y cortadas en cuartos. Espolvoree con azúcar de caña por encima.

Hornee durante 50 minutos a 175 °C. Pincele la superficie del pastel con mantequilla fundida al sacarlo del horno.

CONSEJO

Puede acompañar este pastel con bolas de helado de vainilla aromatizado con canela y ron.

NIEULES

TIEMPO DE REPOSO:
3 O 4 H
TIEMPO DE COCCIÓN:
1 H

PARA 50 PIEZAS

300 g de harina de centeno

3 huevos

3 cucharadas de almendra en polvo

1 cucharada de miel

1 cucharada de aceite

10 g de levadura de pan fresca

1 pizca de sal

Mezcle todos los ingredientes y amase la pasta. Déjela reposar de 3 a 4 horas. Con ayuda de un rodillo, extiéndala hasta alcanzar un grosor de 5 cm. Corte pequeñas porciones de la forma que desee. Sumérjalas en una cacerola con agua hirviendo y deje que cuezan durante unos instantes; subirán a la superficie. Colóquelas sobre un paño y espolvoree almendra por encima. Al día siguiente, hornee las *nieules* a fuego suave hasta que adquieran un bonito color.

GLOSARIO

Agaragar: equivalente vegetariano de la gelatina, puede utilizarse tanto en platos salados como dulces. En Japón se denomina *kanten* y se emplea en forma de copos o tiras que deben remojarse antes de cocinar.

Alcaravea: semilla extraída de una flor aromática que se utiliza como condimento.

Asafétida: especie de hinojo gigante que crece en India e Irán y de la que se utiliza la resina seca y después reducida a polvo.

Arame: alga vendida en forma de tiras negras, de sabor delicado y ligeramente dulce. Debe remojarse antes de utilizarla; puede acompañar verduras salteadas o ensaladas; es rica en yodo, en calcio y en hierro.

Azuki: pequeña judía roja que se consume tanto en platos salados como dulces y que es ineludible en la cocina japonesa. Es rica en minerales y oligoelementos, especialmente en fósforo, hierro y magnesio.

Bok choy: conocida también con el nombre de *col blanca china*, se parece a las acelgas. Su sabor recuerda a la mostaza. Se consume salteada o estofada.

Bulgur: granos de trigo sin cáscara y cocidos al vapor, después secados y triturados.

Choy sum: legumbre china de grandes hojas.

Dahi: yogur indio.

Daikon: nabo chino que contiene gran cantidad de vitamina C; se come crudo o cocido.

Dulse: alga de color púrpura, plana y gomosa; cocida, tiene un gusto especiado.

Énoki: seta blanca japonesa de tronco largo que se vende en ramilletes; tiene un ligero sabor a limón. Puede comerse salteada o cruda, en ensalada.

Garam masala: mezcla de especias del norte de India (cardamomo, canela, clavo de olor, cilantro, hinojo, comino), tostadas y molidas juntas.

Ghee: mantequilla clarificada (India). Esta materia grasa puede alcanzar altas temperaturas sin quemarse.

Halloumi: queso de oveja de pasta firme y color amarillo pálido, curado en salmuera. Su gusto recuerda al feta, pero es más salado y posee un ligero aroma a hierba.

Hoisin: salsa china densa, azucarada y especiada elaborada con judías de soja fermentadas y saladas, cebollas y ajo. Se utiliza en marinadas y parrilladas.

Kaffir: pequeño limonero de África del Sur y del sudeste asiático que produce frutos de color amarillo verdoso y corteza rugosa. Se emplean sus aromáticas hojas, tanto frescas como secas.

Kasha: granos de trigo sarraceno sin cáscara y tostados. El *kasha* es muy rico en aminoácidos esenciales, especialmente en lisina, y en nutrientes beneficiosos para el aparato cardiovascular.

Kazu: nuez de cola, muy utilizada en la alimentación africana por la energía que ofrece. Detrás de su áspero sabor se ocultan propiedades afrodisiacas.

Kombu: alga parda vendida bajo una multitud de formas. Su pronunciado sabor hace que el *kombu* sea adecuado para platos de cocción lenta, como las sopas y los caldos. Es el ingrediente esencial del *dashi*, un caldo japonés. Es el alga más rica en yodo, y contiene asimismo calcio, potasio y hierro.

Konnyaku: fideos gelatinosos y traslúcidos; con frecuencia se venden también en bloques de masa compacta. Están elaborados con harina de *konjac*, una raíz asiática de la familia del boniato. El *konnyaku* es rico en fibra y aporta muy pocas calorías.

Kumara: boniato de color anaranjado.

Laksa: sopa de fideos muy especiada, que se elabora con citronela, guindilla, jengibre, pasta de gambas, cebolla y cúrcuma.

Mirin: vino dulce de arroz, de baja graduación, utilizado para cocinar. No debe confundirse con el sake, que se bebe.

Miso: alimento básico en Asia que se presenta bajo la forma de una masa densa, mezclada con granos de soja cocidos, arroz, trigo o cebada, sal y agua. Se utiliza en sopas y caldos, y con verduras salteadas y fideos.

Nori: alga ancha y plana cuyas hojas se venden secas. Se utiliza en los *sushis* y para sazonar.

Paneer: queso hindú similar al requesón.

Pappadum: torta seca muy delgada y crujiente elaborada con harinas de arroz y lentejas, aceite y especias.

Sambal oelek: condimento fuerte, de origen indonesio, elaborado con guindillas molidas, sal, vinagre y numerosas especias.

Seitán: sucedáneo de carne elaborado con gluten de trigo, de textura firme y gomosa. Se encuentra en la sección de refrigerados de los comercios especializados en dietética. Es recomendable marinarlo después de cortarlo en dados o rebanadas. Se cuece con mucha rapidez.

Shiitake: seta china que posee propiedades dietéticas y medicinales.

Shoyu: salsa de sabor fuerte que puede utilizarse como la salsa de soja.

Soba: fideos finos japoneses elaborados con harina de trigo sarraceno.

Somen: fideos japoneses de arroz muy finos, que se comen fríos acompañados de salsa *tsuyu* (elaborada con *daikon*, salsa de soja dulce y *mirin*) con cebollino.

Tajín: puré de semillas de sésamo finamente molidas.

Tat soi: col china plana, es una variedad tierna de la *bok choy*.

Tempeh: especialidad indonesia obtenida mediante fermentación natural de los granos de soja. Más salado que el tofu, tiene un sabor parecido al de las nueces.

Tofu: especie de queso más o menos duro preparado con soja, la más nutritiva de las legumbres. Las judías de soja se cuecen, se trituran y se filtran para obtener una «leche» de soja que se cuaja con un coagulante. La cuajada obtenida se escurre y se prensa logrando de este modo el tofu, del que existen diferentes variedades.

Wakame: alga se sabor delicado que se puede emplear, después de remojarla brevemente, en ensaladas o sopas. También se puede tostar y desmenuzar para utilizarla como condimento. El *wakame* es rico en calcio, y en vitaminas B y C.

Wasabi: planta vivaz de la que se utiliza la raíz para hacer una especie de mostaza de sabor muy intenso.

Direcciones útiles

¿Dónde pueden encontrarse productos exóticos? A continuación, encontrará algunas direcciones donde podrá comprar algas, harinas, frutos secos, legumbres exóticas, especias y condimentos de todos los continentes, comida biológica, etc.

Alternativa 3
Arroces, azúcar, cereales y especias de comercio justo.
www.justonline.es

Annananda
Productos biológicos, naturales y ecológicos.
www.annananda.es

Biomanantial
Alimentos ecológicos y herbolario.
www.biomanantial.com

Cocina mexicana
Gran variedad de productos gastronómicos de este país.
www.cocinamexicana.es

Estraperlo
Productos de las cocinas árabe, asiática, india, latinoamericana, etc.
www.estraperlo.net

Mundo Nipón
Comida, bebida y utensilios de la cocina japonesa.
www.mundonipon.com

Olokuti
Productos biológicos, ecológicos y de comercio justo.
www.olokuti.com

Tokyo-ya
Todo tipo de productos de la gastronomía japonesa.
www.tokyo-ya.es

ÍNDICE DE RECETAS

Postres